Hanna Jansen
Herzsteine

HANNA JANSEN

HERZSTEINE

GULLIVER
von BELTZ & Gelberg

Ebenfalls lieferbar:
»Herzsteine« im Unterricht
in der Reihe *Lesen – Verstehen – Lernen*
ISBN 978-3-407-63070-4
Beltz Medien-Service, Postfach 10 05 65, 69445 Weinheim
Kostenloser Download: www.beltz.de/lehrer

Dieses Buch ist erhältlich als:
ISBN 978-3-407-74864-5 Print
ISBN 978-3-407-74876-8 E-Book (EPUB)

Weitere Informationen zu unseren Autor_innen und Titeln
finden Sie unter: www.beltz.de

TEIL I

DIE INSEL

> Die Nacht dauert lang, aber schließlich kommt der Tag.
> *(Afrikanisches Sprichwort)*

EINS

Seit dem Tag, als ich Kanamas Kopf gefunden habe, hört niemand meine Stimme mehr.

Kanamas Kopf lag in einem See von Blut mitten auf dem Weg zu unserem Haus. Sie sah mich an mit ihren großen dunklen Augen, die so unbeschreiblich glänzten, wenn sich die Sonne darin spiegelte.

Die allerliebsten Augen der Welt. Jetzt waren sie starr und blind und ohne Licht.

Als ich schreien wollte, löste sich meine Stimme nicht. Sie war irgendwo im Dunkeln eingesperrt.

.

Sam lehnt den Kopf an den Rücksitz des Vans und schließt die Augen, in denen noch Tränenreste brennen. Alles Grau in Grau da draußen, Pisswetter, und das mitten im August. Wie es aussieht, heult der Himmel gerade mit ihm um die Wette.

Solange sie noch in der Stadt unterwegs sind, will er lieber überhaupt nichts sehen. Er kennt den Weg zur Autobahn genau. Gleich, wenn sie den Park hinter sich gelassen haben, werden sie eine Zeit lang parallel zur Elbe fahren. Den Fluss vermisst er jetzt schon, genauso wie die Alster und den Schwimmverein – Wasser ist sein Element, er könnte auch als Fisch geboren sein.

Da, wo es hingeht, werden sie von Wassermassen geradezu umzingelt sein.

Mum kann nicht schwimmen.

Dem Geräusch des Motors lauschend redet Sam sich ein, dass

sie nur besonders lange Ferien vor sich haben. Dass es spätestens nach dem Probejahr zurück nach Hamburg gehen wird. Weil die ganze Sache sowieso nichts bringt. Es ist vielleicht nicht fair, sich das zu wünschen, doch während sie sich jetzt erbarmungslos entfernen, wünscht er es sich mehr als alles andere.

Erst als der Motor leiser, wie auf gerader, freier Strecke, klingt, schlägt Sam die Augen auf.

Außer ihnen ist noch niemand auf der Autobahn unterwegs. Eine Spur heller wirkt der Himmel jetzt, es nieselt nur noch schwach und wenig später hört es auf zu regnen. Die Scheibenwischer schwingen quietschend hin und her, breiten über Dreck und zerquetschten Fliegenkörpern Schmierbögen aus wie Engelsflügel. Dad scheint das überhaupt nicht wahrzunehmen. Seit sie losgefahren sind, haben er und Mum nicht ein einziges Wort gewechselt.

„Dad, stell doch mal die Scheibenwischer aus und mach das Radio an!", brüllt Sam von hinten in das Schweigen, das er plötzlich nicht mehr aushält.

Sein Vater stoppt die Scheibenwischer und fängt an, am Einschaltknopf zu fingern.

Viel zu laut dröhnt die Stimme eines Sprechers durch den Wagen. Dad zuckt zusammen, stellt das Radio leiser und sucht nach einem anderen Sender. Ein Rap von Eminem – „When I am gone" – hämmert kurz durch den Wagen.

Knurrend drückt Dad auf die CD-Taste. *All you need is love …* Die Beatles. Seine Favoriten. Ausgerechnet dieses Lied, als hätte er es für die Reise programmiert.

Sam lockert seinen Anschnallgurt, um ein Stück nach vorn zu rutschen. Er beugt sich vor und platziert seine Hände auf die Lehnen zwischen seinen Eltern.

Mum wendet kurz den Kopf, um ihn flüchtig anzulächeln. Sie trägt eine große Sonnenbrille, obwohl überhaupt kein Wetter dafür ist. Dads Hals glänzt rosarot von einem alten Sonnenbrand. Ein Rot, das sich mit dem seiner Haare beißt. Mit dem rostroten Lockenkranz um seinen sonst kahlen Schädel.

Auch Mum wirkt fast, als wäre sie völlig kahl. Ihr dichtes schwarzes Kraushaar ist so kurz geschoren, dass man ihre Kopfhaut sehen kann. Tief dunkelbraun, fast genauso dunkel wie ihr Haar ist ihre Haut. Eine Korallenkette schmiegt sich eng um ihren langen, schlanken Hals.

Plötzlich erscheint sie Sam wie ein Bild. Das Bild eines fremden Zauberwesens. Felicitas – seine Mutter, die ihm oft ein Rätsel ist. Dad nennt sie Fe oder in besonderen Momenten *seine Fee*.

Wie so oft wünscht sich Sam, dass er Gedanken lesen könnte, um herauszufinden, was gerade in ihr vorgeht, was sie fühlt oder denkt. Ob sie selbst überhaupt daran glaubt, dass ihr dieser Probeumzug helfen wird? Er schickt ein Stoßgebet zum Himmel. Nichts Konkretes, etwas, das wie *bitte, bitte!* in ihm klingt. Dads Hoffnung muss in Erfüllung gehen! Schließlich zahlen er und Sam einen hohen Preis.

Sam verengt die Augen, bis vor seinem Blick alles wie in einem Aquarell verschwimmt. Auch der helle Bronzeton seiner Hände, die noch immer zwischen seinen Eltern liegen.

Die Farbe seiner Haut ist die perfekte Mischung.

„Sam, könntest du dir vorstellen, für einige Zeit auf Sylt zu leben? Unser Urlaub dort hat dir doch so gut gefallen."

Mit diesen Worten hatte Dad ihn eines Abends im April vor vollendete Tatsachen gestellt. Das Gespräch zwischen Vater und Sohn fand hinter geschlossener Tür im Arbeitszimmer statt. Zweifellos, um ungestört zu sein. Oder auch, um die Bedeutung der Angelegenheit zu unterstreichen. Dad tut immer alles mit Bedacht. Jedenfalls das meiste.

Wie angeschossen stand Sam da. Unfähig aufzunehmen, was

er hörte, geschweige denn, einen Sinn darin zu sehen. *Natürlich nicht! Was für eine Scheißidee!*

Erst Sekunden später blitzte die Erkenntnis auf: Dieser Zwischenfall im Kaufhaus ...

„Bestimmt erinnerst du dich, wie gut es Mum auf der Insel ging. Das Leben in der Großstadt ... ich glaube, im Augenblick ist das zu viel für sie."

Dad machte eine Pause. In seinen Augen lag eine Bitte und auch etwas Trauriges, das Sams Widerstand im Keim erstickte.

„Peter will für ein Jahr ins Ausland gehen und braucht dringend jemanden, der ihn vertritt. Ich hätte viel mehr Zeit für euch."

Peter war Dads Studienfreund und wie er Orthopäde.

Sam biss sich auf die Unterlippe. Alles längst beschlossene Sache also! Und die Frage, ob er sich das vorstellen könnte, bloß eine von den Fragen, die sein Vater rhetorisch nannte.

„Und was passiert mit unserem Haus?", fragte er.

„Es bleibt unser Haus", erwiderte sein Vater fest. „Wir lassen unsere Möbel hier und nehmen nur das Allernötigste mit. Du kannst natürlich einpacken, was du willst. Wir werden das Haus vorläufig untervermieten. Für ein Jahr. Mehr soll es erst mal gar nicht sein. Danach wird man weitersehen. Wenn es uns allen besser geht, entscheiden wir gemeinsam, ob wir bleiben wollen."

Er beugte sich vor. Lächelte. Ein Lächeln, das Sam jedes Mal umhaut, weil Dad nur ihn und Mum so anlächelt. So zärtlich.

„Sam, ich weiß, ich verlange ungeheuer viel von dir! Trotzdem hoffe ich, dass ich auf dich zählen kann."

Ich kam an einem Sonntag im August in einem kleinen Dorf auf die Welt. Und genau an diesem Tag erhielt ich auch meinen Namen. Mein Vater hat ihn für mich ausgesucht, weil ich ein bisschen wie ein Junge aussah und er sich, nachdem er schon zwei Töchter hatte, eigentlich einen Jungen wünschte. Er nannte mich Nkuliki-yinka. Umehire hieß die Erstgeborene, Ingabire die zweite. Umehire, das bedeutet „Glück", Ingabire „Geschenk". Nkulikiyinka aber ist ein völlig anderer Name. Nkulikiyinka, das ist die, „die der Kuh hinter-herläuft". Meine Mutter wollte diesen Namen nicht, doch mein Vater hat sich durchgesetzt.

Ich war ein wildes Kind, das nur selten still sein konnte, pausen-los sprang ich herum wie ein junges Kalb, sodass mein Vater mich Inyana, „Kälbchen", rief, und schon bald taten es die anderen auch.

„Inyana dies!, Inyana das!" Den ganzen Tag lang lagen sie mir in den Ohren, versuchten mich zu bändigen, knufften, küssten und umarmten mich, was auf die Dauer wirklich lästig war. Sobald ich laufen konnte, floh ich zu den Kühen, die nach dem Weidegang ein Stück den Weg hinunter in den Ställen standen.

Fünf Kühe waren es, eine schöner als die andere, und alle hat-ten Monatsnamen. Mutarama, Mata, Ukwakira, Gicurasi und Ka-nama. Kanama heißt „August". Kein Wunder, dass Kanama meine Lieblingskuh war, oder? Weil sie doch meinen Monatsnamen hatte und noch dazu die allerliebsten Augen der Welt! Du musst wissen, ich war felsenfest überzeugt, dass Kanama mir gehörte.

„Ich geh zu meiner Kuh", war mein Spruch, mit dem ich meine Schwestern regelmäßig auf die Palme brachte.

„Zu deiner Kuh?", fragte meine Mutter dann und zog die Au-genbrauen hoch. Ich aber hob das Kinn.

Nur in Shorts und Badelatschen, das Waveboard neben sich, hockt Sam auf der Mauer vor dem Ferienhaus, das Dad für sie gemietet hat. Seit einer Woche sind sie hier und eigentlich könn-te Sam sich wie im Urlaub fühlen. Das Haus hat alles, was man braucht, aber nichts von einem richtigen Zuhause. Helle Räume, zweckmäßig und modern eingerichtet, ein paar Drucke an den weißen Wänden. Inselbilder. Überhaupt nicht zu vergleichen mit dem vollgestopften Haus in Hamburg, wo schon sein Vater aufgewachsen ist. Alles deutet darauf hin, dass sie hier wirklich nur vorübergehend bleiben werden.

Ungehindert brennt die Sonne von einem wolkenlosen Himmel, beißt Sam in die Schultern. Es ist völlig windstill, fast zu heiß. Für Mum allerdings endlich warm genug. Sie hat fest versprochen, heute mit zum Strand zu gehen. Nur eine kleine Landstraße müssen sie überqueren, dann führt der Weg über einen schmalen, sandigen Pfad durch ein Stück Heide direkt auf die Dünen zu.

Sam lässt die Terrassentür nicht aus den Augen, fragt sich zum x-ten Mal, wo seine Mutter bloß so lange steckt. Ob sie es sich womöglich wieder anders überlegt hat und einfach, wie so oft, ins Bett gegangen ist? Schon am hellen Tag zieht sie sich neuerdings dahin zurück.

Jetzt komm schon, Mum! Ungeduldig wirft Sam einen Blick auf seine Uhr. Ein bisschen Mühe könnte sie sich geben, findet er. Ihretwegen sind sie schließlich hier. Wegen dieser Kaufhaussache im April …

Eines Abends war Sams Mutter von der Polizei zu Hause abgeliefert worden. Zwei Uniformierte standen plötzlich vor der Tür, zwischen ihnen Mum, die am ganzen Körper zitterte. Aschgrau im Gesicht, die Augen aufgerissen.

Gott sei Dank war Dad ausnahmsweise früh zu Hause, sodass er alles regeln konnte. Die Polizisten waren sehr entgegenkommend und nach der Übergabe auch gleich wieder weg. Heilfroh wahrscheinlich, dass sie Mum nicht in irgendeine Klinik oder Anstalt bringen mussten.

Grund genug hätten sie gehabt.

Sie war in einem großen Kaufhaus in der Innenstadt stundenlang kreuz und quer durch die Abteilungen geirrt. Abgesehen davon, dass sie sowieso immer alle Blicke auf sich zieht, war sie aufgefallen, weil sie sich ständig irgendwo verkrochen hatte – in Kabinen, hinterm Wühltisch, zwischen Kleiderständern. Und wenn sie angesprochen wurde, stürzte sie davon. Schließlich hatte ihr der Kaufhausdetektiv den Weg versperrt und versucht, sie festzuhalten. Da war sie völlig ausgerastet. Hatte wie verrückt getobt, geschrien und sogar nach ihm geschlagen.

Sam hatte den Beamten fassungslos zugehört. Der Bericht passte überhaupt nicht in das Bild seiner Mutter, die immer so viel Wert darauf legte, dass man sich tadellos benahm.

Später hatte Dad versucht herauszufinden, warum Fe sich so verhalten hatte. Ob jemand sie vielleicht erschreckt oder beleidigt hätte, ob der Detektiv womöglich grob geworden sei … Und so weiter. Aber Mum hatte geschwiegen und auf alle Fragen bloß den Kopf geschüttelt. Plötzlich aber waren dicke Tränen über ihr Gesicht gerollt. Ihre Miene blieb dabei völlig ausdruckslos, als merkte sie überhaupt nicht, dass sie weinte.

Einige Male hatte Sam schon gesehen, wie seine Mutter Tränen lachte, doch an diesem Tag sah er zum ersten Mal, wie sie weinte. Und das auf eine ganz stille, hoffnungslose Art, die ihn fertigmachte.

Seitdem ist eine alte Angst plötzlich wieder in ihm hochgeschwappt. So gut er kann, versucht er sie zu verdrängen, doch er schafft es einfach nicht. Unmöglich, ohne Hamburg, ohne seine Freunde, mit denen er auf andere Gedanken kommen kann. Auf der Insel ist er so allein, dass er ständig grübeln muss.

Er erinnert sich noch genau, wann ihn diese Angst zum ersten Mal überfallen hat. Ungefähr drei Jahre muss er damals gewesen sein.

Es war in der Nacht, als er plötzlich aus dem Schlaf gerissen wurde, weil seine Mutter so entsetzlich schrie. Ihre leise, weiche Stimme schrill und fremd, als ob es gar nicht ihre wäre. Wie die von einem Tier in Todesangst. In seiner Panik hatte er selbst losgeschrien und nicht mehr aufgehört, bis sein Vater an sein Bett gekommen war, um ihn zu beruhigen. „Es ist nichts, Sam … Mum hat nur schlecht geträumt … es ist schon vorbei." – Ja, es war vorbei, aber nur in dieser Nacht. In der nächsten, übernächsten und danach in vielen Nächten hatten ihre Schreie ihn geweckt.

Mums schlimme Träume haben nie ganz aufgehört, allmählich aber sind sie seltener geworden und Sam hat sich schließlich irgendwie daran gewöhnt. Jedenfalls ist er nicht mehr davon aufgewacht.

Bis vor Kurzem hätte er auch nie gedacht, dass mit ihr etwas nicht stimmen könnte. Obwohl sie nicht wie andere Mütter ist, die er kennt. Sehr verschlossen, fast unnahbar wirkt sie, und wenn sie angesprochen wird, reagiert sie meistens kühl und distanziert. Auch daran hat er sich irgendwie gewöhnt. Den Zwischenfall im Kaufhaus aber findet er … nicht normal.

Sam pustet sich ins Gesicht.

Langsam wird es ihm zu heiß, außerdem hat er es satt zu warten. Er möchte an den Strand, ins Meer! Entschlossen rutscht er von der Mauer, schnappt sein Waveboard, um sich auf den Weg zu machen. Ohne seine Mutter.

Genau in dem Moment jedoch geht die Terrassentür auf und sie kommt endlich aus dem Haus. In sehr kurzen gelben Shorts und einem gelben Top mit weißen Streifen. Weiße Flipflops an den nackten Füßen, ein buntes Seidentuch wie einen Turban um den Kopf geschlungen. Die große Sonnenbrille auf der Nase und eine dicke gelbe Handtuchrolle in der Hand. Wie immer alles perfekt aufeinander abgestimmt.

Sam stellt zufrieden fest, dass sie für den Strand gerüstet ist.

Das Öl auf ihrer Haut, Kokosnuss, kann er von Weitem riechen, ihre langen Beine glänzen. Wie sie geht! Kerzengerade, aber locker. Unter ihren Schritten scheint der Boden nachzugeben.

Sam weiß, dass seine Mutter auf dem Kopf mühelos eine voll-gepackte Einkaufstasche balancieren kann. Weil sie so unwahr-scheinlich schön ist, drehen sich die Leute auf der Straße nach ihr um. Und wenn Dad sie ansieht, geht ein Licht in seinen Augen an.

Jedes Mal, wenn mein Vater unsere kleine Herde von einem Weideplatz zum nächsten, zu den Wassertrögen oder Ställen trieb, durfte ich ihm dabei helfen. Gewöhnlich tat unser Hirte diese Arbeit, aber wenn mein Vater da war, wollte er manchmal selbst nach dem Rechten sehen.

Barfuß trippelte ich zwischen ihm und den Tieren hin und her. Umklammerte einen viel zu großen Stock, fuchtelte damit herum und machte meiner Kuh und den anderen Beine. Stark und mächtig fühlte ich mich dann, obwohl ich gerade erst drei Jahre war.

Weißt du, meinen Vater liebte ich besonders und er mich, obwohl ich nur ein Mädchen war. Den Weg zurück von den Weiden trug er mich manchmal auf den Schultern, wobei er naserümpfend an meinen nackten Zehen schnüffelte, zwischen denen dicker Dreck und Kuhmist klebte.

„Du musst dir gleich die Füße waschen!", sagte er und lachte. „Bevor Mama uns erwischt."

Und ich kicherte, wenn seine Nase mich an den Füßen kitzelte, strampelte und stupste ihn mit den Zehenspitzen an. Dann konnte es passieren, dass er plötzlich wie ein wild gewordener Ziegenbock von einer Seite auf die andere sprang und mich fast hinunterwarf. Schreiend krallte ich mich an ihm fest, konnte mich vor Lachen nicht mehr halten, hörte nicht mehr auf, bis mir Tränen aus den Augen liefen.

Aus großer Höhe blickte ich triumphierend in die weite Welt, die mir zu Füßen lag, weil ich einen Vater hatte, der ein Baum war und mich trug.

Keuchend und nach Luft japsend wirft sich Sam vor Mums Füße in den feuchten Ufersand.

Er ist viel zu weit hinausgeschwommen, um eine Riesenwelle zu erwischen, die ihn samt Brett zurück ans Ufer schießen sollte. Doch die Welle hat nur ihn erwischt und so herumgewirbelt, dass er nicht mehr wusste, wo oben oder unten war. Irgendwann ist Mum vom Strandtuch aufgesprungen und in Richtung Meer gerannt.

Durch einen Wasserschleier blinzelt er schuldbewusst zu ihr hoch. Er hat ihr doch nur zeigen wollen, wie fantastisch Wellenreiten ist, und nicht daran gedacht, dass sie vor Angst fast sterben könnte. Eigentlich hätte er das wissen müssen. Ihr Atem geht genauso schwer wie seiner, und ihre Augen funkeln vor Empörung. Mühsam rappelt er sich auf, bis er schließlich etwas schwankend vor ihr steht. Mit einem schiefen Grinsen versucht er sie zu beschwichtigen.

„Glaub mir, das sah schlimmer aus, als es war."

Sie zieht die Luft hörbar ein, öffnet ihren Mund und schließt ihn wieder. Wortlos wendet sie sich ab. Auf dem Weg zurück zum Strandtuch stapft sie ihren Zorn in den tiefen Sand. Zerknirscht und schuldbewusst trottet Sam hinterher. Trotzdem – irgendwie gefällt es ihm, dass sie wütend ist.

Eine Viertelstunde später sitzen sie nebeneinander in der Sonne und löffeln Eis aus Plastikbechern. Ein Rest von Spannung hängt noch in der Luft, aber Mum hat seinen Wellenflug nicht weiter kommentiert.

Auch das ist typisch für sie. Manchmal regt sie sich zwar furchtbar auf, doch nie im Leben würde sie Sam eine Endlospredigt halten, wie er es von den Müttern seiner Freunde kennt.

Der Strand ist übersät von bunten Schirmen, buddelnden Kindern, eingeölten Körpern, die platt wie tote Fische in der Sonne schmoren.

Schräg gegenüber, nicht sehr weit entfernt, sitzt ein ziemlich fetter Mann, der gerade aus dem Meer gekommen ist. Das Wasser rinnt in Bächen über seinen Hals. Auf seinen Schultern prangt eine Tätowierung: Ein riesengroßer Adler breitet seine Flügel aus, als wollte er gerade abheben.

Der Dicke schlingt das Handtuch um den Bauch und versucht die Badehose auszuziehen. Ruckt und zerrt und zappelt mit den Beinen, verrenkt sich fast, um bei der Prozedur das Handtuch festzuhalten. Endlich hängt die Badehose wie eine nasse Siegesfahne auf dem rechten Fuß und die Hände tauchen wieder unterm Handtuch ab. Der Dicke reibt und fummelt, hebt den Hintern an, reibt und fummelt, hört überhaupt nicht auf damit.

Allmählich dämmert Sam, dass der Typ versucht, penibel jedes kleinste Sandkorn von den besten Teilen zu entfernen. Er schielt zu seiner Mutter hin und stellt fest, dass sie den Mann genauso anstiert. Ein warmer Schauer schießt ihm ins Gesicht. Der Ausdruck ihrer Augen ist hinter den dunklen Brillengläsern nicht erkennbar, doch auf ihrer Stirn steht eine steile Falte und ihr Mund ist zugekniffen wie eine Panzertür. Auf einmal zuckt sie mit den Schultern, schluckt. Sie schnappt nach Luft und gluckst, als ob sie Schluckauf hätte. Presst beide Hände auf den Mund – und dann prustet es aus ihr heraus. Sie schreit und weint vor Lachen, ohne Rücksicht auf die anderen Strandbesucher, boxt Sam mit spitzen Fäusten in die Seite und schubst ihn übermütig in den Sand.

Er lässt sich fallen, zu verdattert, um zu reagieren. Es dauert, bis der Funke endlich überspringt. Bis auch er sich traut zu lachen, laut und befreit. Und während er sich durch den Sand rollt, ein paarmal wiehernd um sich selber wälzt, spult die ganze Szene wieder vor ihm ab.

Mr Qualles Striptease! Wenn Mum über einen solchen Blödsinn lachen kann, wird vielleicht wirklich alles gut …

Hin und wieder rannten wir den Weg nach Hause um die Wette. Mein Vater gab mir jedes Mal einen großen Vorsprung, doch obwohl ich mir die allergrößte Mühe gab, ihn zu besiegen, überholte er mich immer kurz vorm Ziel. Nie ließ er mich gewinnen, was mich so sehr fuchste, dass ich wieder schrie, jedoch vor Wut, und hinterher noch lange maulte. Er aber lachte mich einfach aus.

„Du musst sehr viel schneller werden", sagte er einmal und das Lachen starb auf seinem Mund. „Es können Zeiten kommen, wo es wichtig ist, dass du schneller als die anderen rennen kannst."

„Warum ausgerechnet Myanmar?", fragt Dad, wobei er Fe nicht aus den Augen lässt, die gerade Teller und Servietten auf dem Tisch verteilt.

Sie hat gekocht. Afrikanisch, was sie äußerst selten tut.

Peter ist zum Essen eingeladen. In drei Tagen wird er abreisen und dann beginnt Dads Vertretungszeit. Außerdem fängt die Schule morgen an, was bestimmt kein Grund zum Feiern ist. Trotzdem freut er sich, dass Peter da ist, und der Duft nach Erdnusssoße, der aus der Küche strömt, treibt ihm das Wasser in den Mund.

Peter hat seine langen Beine ausgestreckt. Lässig sitzt er da, leicht zurückgelehnt, fühlt sich wie zu Hause. Dad dagegen hält sich aufrecht, seine Hände liegen auf dem Tisch und seine Fingerspitzen streifen unruhig hin und her.

Wie können zwei, die so gegensätzlich sind, bloß so eng befreundet sein?

Peter ist zehn Jahre jünger als Sams Vater, trotzdem haben sie zur selben Zeit Medizin studiert. Weil Medizin nach Physik für Dad das zweite Studium war. Er ist schon über fünfzig, sechzehn Jahre älter als Mum, die außerdem viel jünger aussieht, als sie ist. Dad scheint Gegensätze anzuziehen.

Peter ist ein attraktiver Typ: groß und sportlich, braun gebrannt. Wenn er lacht, blitzen makellose Zähne auf. Dad wirkt neben ihm noch schmächtiger, als er ohnehin schon ist.

Nicht zum ersten Mal fragt sich Sam, was seine Mutter wohl an seinem Vater findet. Dabei kennt er die Antwort genau: Klug ist Dad, lieb und witzig. Total verlassen kann man sich auf ihn. Und wenn seine Augen strahlen, ist es wie ein Sonnenbad.

„Es hätte ebenso gut Bangladesch sein können", erwidert Peter und nimmt einen großen Schluck aus seinem Rotweinglas. „Oder Nigeria. Irgendwo eben, wo Rachitis noch verbreitet ist. Ein Freund aus München hat mir den Kontakt zu einem kleinen Krankenhaus in Myanmar vermittelt, das in über zweitausend Meter Höhe liegt. Wie ihr seht, will ich dieses Mal besonders hoch hinaus." Er lacht.

Auch über Mums Gesicht huscht ein Lächeln, gleich danach wird sie wieder ernst. Murmelt etwas über eine Schwester, die auch Rachitis hatte, aber nicht so schlimm.

Wie ein verirrter Vogel flattern ihre Worte durch den Raum. Und sind schon wieder weg, wie auch Mum, die in der Küche abtaucht. Dads Finger ruhen auf dem Tisch, als hätte etwas sie in ihrer Hin-und-Her-Bewegung angehalten.

„Was genau willst du denn in Myanmar machen?", hakt Sam nach, obwohl er eigentlich etwas völlig anderes wissen will. „Und warum gehst du überhaupt dahin?"

„Ich will operieren", erwidert Peter prompt. „Krumme Knochen so weit wie möglich gerade richten. In Myanmar gibt es Leute, deren Beine so verbogen sind, dass sie kaum noch gehen können." Er unterbricht sich, zieht die Stirn kraus. „Du fragst, warum? Nun, mich treibt die pure Abenteuerlust! Das bequeme Leben hier gefällt mir zwar, meistens jedenfalls, doch alle Jubeljahre muss ich einfach weg. Weg von den Verschleißerscheinungen, eingeklemmten Nerven und eingebildeten Wehwehchen."

„Ich freue mich schon auf die eingeklemmten Nerven", betont Dad, leert sein Glas und schielt in Richtung Mum, die mit dem Besteck zurückgekommen ist.

Sam findet, seine Worte klingen aufgesetzt.

„Mir machst du nichts vor, Luk", kontert Peter, als könnte er Gedanken lesen. „Ich fürchte, dass du mit deinen Fähigkeiten hier nicht auf deine Kosten kommen wirst. Andererseits kann's dir nicht schaden, mal zurückzuschrauben. Versuch, das Beste draus zu machen!"

Auch seine Augen folgen Fe, die wieder auf dem Weg zur Küche ist.

Dad räuspert sich, gießt Rotwein nach und schweigt.

„Wie entsteht Rachitis eigentlich?", fragt Sam, um von der Spannung abzulenken, die jetzt deutlich spürbar in der Luft hängt.

„Einseitige Ernährung, Unterernährung, vor allem Vitamin D- und Kalziummangel", erklärt Dad sofort an Peters Stelle. Offenbar ist er erleichtert, dass das Gespräch nun wieder eine andere Richtung nimmt. „In manchen Teilen Asiens leben Menschen, die so arm sind, dass sie sich ausschließlich von Reis ernähren müssen. Ihre Knochen weichen auf und verformen sich. Zu extremen O-Beinen oder einem Buckel beispielsweise."

Danach führen er und Peter das Gespräch wieder unter sich, lassen sich in Medizinersprache über Ursachen und Therapien aus. Sam versteht nur noch die Hälfte. Als Mum endlich mit dem großen Bratentopf erscheint, in dem das Huhn in Erdnusssoße schwimmt, schiebt Sam den Gedanken an die Leute schnell beiseite, die so hungern müssen, dass sich ihre Knochen biegen.

Ich war viel jünger als meine Schwestern. Mehr als sechs Jahre trennten mich von Ingabire, von Umehire sogar acht, was zur Folge hatte, dass gleich drei Mütter für mich sorgen wollten.

Leider war mein Vater viel zu häufig unterwegs, denn er baute Häuser, Straßen, sogar Kirchen, sodass ich ihn oft tagelang nicht sah. Dann war ich meinen Müttern ausgeliefert, die aus mir ein sauberes, braves Mädchen machen wollten, mich mit Eimern voller Seifenwasser übergossen, schrubbten, kämmten und in Rüschenkleider steckten.

Ich hasste es wie die Pest, wenn das Wasser über meinem Kopf ausgeschüttet wurde. Einmal, als ich schrie, weil ich protestieren wollte, schoss ein dicker Schwall in meinen Mund. Ich verschluckte mich, würgte, spuckte, hustete so sehr, dass ich zu ersticken glaubte. Seitdem kniff ich immer Mund und Augen zu und hielt die Luft an, bis die Prozedur vorüber war.

So oft wie möglich lief ich zu den Kühen, um mich bei Kanama zu beschweren, voller Ungeduld darauf wartend, dass mein Vater endlich wiederkam.

Sam liegt auf dem Bett, Klaus in den Rücken gestopft, den er jetzt als weiche Stütze braucht, weil er sich miserabel fühlt.

Jan und Olli haben gerade angerufen und ihn mit Neuigkeiten bombardiert. Schon Anfang letzter Woche hat in Hamburg die Schule wieder angefangen. Die beiden haben sich das Telefon gegenseitig aus der Hand gerissen und Sam die Ohren vollgequatscht. Er selbst ist die meiste Zeit stumm geblieben. Wenn er schon nicht dabei sein konnte, wollte er die Einzelheiten gar nicht wissen.

„Mensch, Alter, sieh bloß zu, dass du so bald wie möglich wiederkommst!" Jans Abschiedsworte. Danach hat er aufgelegt.

Schon seit dem Kindergarten waren Jan und Olli Sams engste Freunde. Siamesische Drillinge hatte Dad sie oft im Spaß genannt, weil es kaum etwas gab, das sie nicht miteinender teilten. Nach den Sommerferien wären sie zusammen in die Elfte gekommen. *Zusammen* gilt jetzt nur für Jan und Olli, während Sam morgen alles im Alleingang machen muss. Hier, wo er keine Menschenseele kennt. Er hält das Handy noch in der Hand, ist drauf und dran, sofort zurückzurufen. Doch wozu? Er legt es resigniert beiseite, starrt die kahlen Zimmerwände an.

Sam hat nut wenig von zu Hause mitgenommen. Seinen Laptop, kaum benutzt, seit sie angekommen sind, einen Haufen neuer Bücher, keins von ihnen bisher angerührt, ein Poster, noch nicht aufgehängt. Einen Pappkarton voller Kleinkram, den er vor dem Umzug wahllos zusammengeworfen hat. Noch nicht ausgepackt. Die Digitalkamera. Ganz wichtig! Seit er sie besitzt, hat er angefangen, alles neu, viel bewusster zu betrachten, als ob er jetzt ein drittes Auge hätte. Sogar ohne Linse vor der Nase wählt er manchmal Bilder aus, die zu einem Foto taugen würden. Motive gibt es auf der Insel reichlich, aber hier hat er die Kamera noch nicht einmal benutzt.

Und natürlich Klaus! Gorilla Klaus, in Kindheitstagen einmal Sams allerbester Kumpel, seit vielen Jahren allerdings zum Kissen degradiert. Er ist am Bauch schon völlig platt und blank gelegen, und seit Mum ihn nicht mehr regelmäßig wäscht, müffelt er vor sich hin. Sich von ihm zu trennen, käme trotzdem nie infrage. Klaus ist nämlich ein Erinnerungsstück.

Kurz nachdem Mum nachts zum ersten Mal geschrien hatte, brachte sie ihn mit, einfach so. Damals war der Affe fast so groß wie Sam. Ein starkes, wildes schwarzes Tier, das ihn beschützen sollte. Sam taufte ihn auf den Namen Klaus, nach Ollis imposantem, dickem Opa, einem Frachtschiffkapitän, und schleppte ihn vom ersten Tag an überall mit sich herum.

Beim Essen saß Klaus neben ihm, bekam sogar einen eigenen Teller, er ging mit Sam aufs Klo und thronte abends auf dem Badewannenrand. Selbstverständlich war er auch sein Bettgefährte, und wenn sich Sam müde in die überlangen Arme schmiegte, träumte er von einem Affenland, in dem alles anders war. In fast jeder Lebenslage hatte er einen Affenspruch parat: „Im Affenland ist alles anders, da muss man keine Erbsen essen. Klaus sagt, im Affenland kann jeder schlafen gehen, wann er will. Klaus hat gesagt, Zähne putzen soll man nicht, die werden von alleine sauber."

Mum war total genervt, während Dad sich amüsierte. Eines Abends brachte er eine Mütze mit, von einem echten Kapitän, setzte sie dem Affen auf den Kopf und ernannte ihn zum Familienoberhaupt: „Damit hier endlich mal geklärt ist, wer das Sagen hat!"

Schweigend starrte Mum ihn an und ihre Augen funkelten gefährlich. Auf einmal aber schnappte sie nach Luft und brach in schallendes Gelächter aus.

Es war das erste Mal, dass Sam sie lachen sah, bis ihr die Tränen aus den Augen liefen. Dass sie vor Lachen weinte und sich nicht beruhigen konnte. Als sie geräuschvoll durch die Nase schniefte, sich die Augen rieb und stöhnte, streckte Dad die Arme aus, um sie nah an sich heranzuziehen. Er hielt sie eine ganze Weile fest und sie legte ihren Kopf an seine Schulter.

Auch das war neu. Bis dahin hatte Sam seine Eltern so noch nie gesehen. Am liebsten hätte er sich zwischen sie gestellt, um etwas davon abzukriegen. Doch er hatte Angst, dass dieser Augenblick dann wie ein Spuk verschwinden könnte. Also schnappte er den frischgebackenen Kapitän und verzog sich mit ihm in sein Zimmer.

Sam grinst in sich hinein. Alles fühlt sich wieder leichter an. Wenn Mum von Herzen lacht, reißt eine Schale auf und sie sprüht nur so vor Lebendigkeit!

Er nimmt sich vor, dafür zu sorgen, dass sie in Zukunft häufiger mal lacht.

ZWEI

Der erste Eindruck von dem flachen, alten Backsteinbau, der von jetzt an seine Schule sein soll, lässt Sams Stimmung auf den Tiefpunkt sinken. Zu allem Überfluss sind seine Eltern und sogar auch Peter mitgekommen. Mum in einem engen weißen Leinenkleid und mit elegantem Hut. In Hamburg wäre das vielleicht gerade noch gegangen, aber hier? Es reicht doch, dass sie so schon aus dem Rahmen fällt! In Sachen Kleidung hat sie wirklich einen Spleen. Wie immer zieht sie alle Blicke auf sich. Zwangsläufig Sam und Dad und Peter auch.

Sam heftet seinen Blick auf das Schultor, durch das er am liebsten wieder verschwinden würde.

„Die Schule ist zwar alt und alles andere als ein Schmuckstück, doch ihr Ruf ist besser, als man meinen könnte", erklärt Peter, den ein Mädchen im Vorübergehen grüßt. „Ich kenne einige der Schüler, ein paar Eltern und auch Lehrer. Die meisten fühlen sich hier wirklich wohl."

Deine Aufmunterungsversuche kannst du dir sparen, denkt Sam und sagt laut: „Ihr habt hoffentlich nicht auch noch vor, mich ins Klassenzimmer zu begleiten. Falls es euch entgangen sein sollte: Ich bin nicht mehr in der Fünften."

Peter lacht. „Wir überlassen dir wohl besser jetzt das Feld."

Dad räuspert sich. „Was soll das, Sam?"

„Seht ihr hier etwa irgendwo noch andere Eltern? Ich hab keinen Bock darauf, so angegafft zu werden!"

Sam stiert seine Mutter an, die wieder mal nichts merkt, jedoch auf seinen Ton betroffen reagiert. Gereizt wendet er sich ab, blickt erneut zum Schultor hin.

Eine Frau und ein Mädchen steuern gerade darauf zu.

Die Frau ist ungewöhnlich groß und korpulent. Ihr Haar fällt in dünnen grauen Strähnen offen über ihre Schultern und ihr weites, ärmelloses Kleid aus bunt bedrucktem Seidenstoff reicht bis zum Boden. Die bloßen, prallen Arme sind mit Silberreifen behängt. Das Mädchen trägt einen ultrakurzen, schwarzen Minirock. Dazu eine schwarze Häkelweste über einem ausgewaschenen rosa Shirt. Ihre braungebrannten Beine stecken in hochgeschnürten schwarzen Lederboots. Alles, was sie anhat, ist schon ziemlich abgetragen, was aber offensichtlich so gewollt ist. Nur der lange blonde Zopf, der seitlich über ihre Schulter fällt, wirkt absolut fehl am Platz. Sam muss unwillkürlich an eine Packung Schokolade denken, die er als kleiner Junge mal geschenkt bekommen hat. Mit Figuren, deren Köpfe oder Beine man verschieben konnte. Ein Koch im Blümchenkleid mit Cowboystiefeln beispielsweise kam dabei heraus. Genauso wirkt das Mädchen. Wie eine Punkerin, auf der ein falscher Kopf gelandet ist!

Als die beiden durch das Schultor treten, registriert er, dass jetzt sie es sind, die alle Blicke auf sich ziehen. Aber es ist anders. Feindseligkeit scheint plötzlich in der Luft zu liegen.

„Das sind Helen und ihre Tochter", bemerkt Peter mit einem Seitenblick auf Sam.

„Woher kennst du sie?", fragt Dad.

Peters Antwort lässt eine Weile auf sich warten.

„Nun ja …" Nachdenklich kratzt er sich am Kinn. „Helen hat sich hier ziemlich schnell selbst bekannt gemacht. Deshalb wissen viele Leute, wer sie ist und … was sie tut. Wie soll ich sagen, Helen … Ach was, ich lass es lieber. Macht euch einfach selbst ein Bild! Ihre Tochter hat's bestimmt nicht leicht. Ich fände es nicht gut, wenn Sam voreingenommen wäre."

Was will er damit sagen? Sams Interesse ist hellwach. Doch ein schrilles Klingeln setzt dem Gespräch abrupt ein Ende.

„Ich geh dann mal", sagt er und lässt Dad und Mum und Peter einfach stehen.

Der Tag, an dem mein Vater nicht mehr wiederkam, hatte sich seit Längerem und mit vielen Zeichen angekündigt, nur ich merkte nichts davon.

Kein Wunder, schließlich war ich ja erst drei, noch viel zu klein, um mir irgendetwas vorzustellen, was schlimmer als die große Wäsche war, die ich jeden Abend über mich ergehen lassen musste. Zwar fiel mir auf, wie meine Mutter immer stiller wurde, wie sie dauernd vor dem Radio saß und mit angespannter Miene lauschte, doch ich machte mir nichts draus. Im Gegenteil! Es gefiel mir, weil sie in den Tagen vieles übersah, was sie sonst auf keinen Fall hätte durchgehen lassen.

Stell dir vor, ich war so arglos, dass ich diese Zeit sogar genoss.

Sie heißt Enna. Und sitzt neben ihm. Nicht Emma, auch nicht Anna, sondern Enna. Seltsamer Name, doch er passt zu ihr.

Dass Sam ausgerechnet neben ihr gelandet ist, wundert ihn kein bisschen. Auch Enna ist neu, weil sie von einer anderen Schule auf diese hier gewechselt hat. Klar, dass zwei Neue, außerdem Exoten, sich dahin sortieren müssen, wo noch Platz ist. Frontal zur Tafel und am Ende einer Zweierreihe steht ihr Tisch.

Der Klassenraum ist ein Schlauch, dessen kahle Wände in hässlichem Lindgrün gestrichen und voller Spuren der vergangenen Jahre sind: Reste von Tesafilm, helle Flächen, wo mal was gehangen hat, jede Menge Flecken, wo die Farbe abgeblättert ist.

Noch immer grübelt Sam über Peters Äußerung nach, fragt sich, was mit Ennas Mutter ist. Seine Augen folgen Ennas kleiner Hand, die perfekte, runde Buchstaben malt, während sie den Stundenplan abschreibt. Ihre Haut ist dunkel, fast wie seine. Nicht von Natur aus, sondern von der Sonne. Verstohlen mustert er die ganze Enna. Ihr Haar kräuselt sich in den Spitzen. Und ihre Nase hat einen leichten Schwung nach oben. Helle Augen. Blau vielleicht?

Enna blickt nicht auf und macht auch keinerlei Anstalten, mit ihm zu reden. Wie es aussieht, legt sie keinen Wert darauf, sich mit jemandem aus der Klasse anzufreunden. Kein Wunder. Niemand ist auf sie zugegangen. Im Gegenteil. Die Art und Weise, wie die anderen sie schlichtweg übergehen, grenzt schon an Verachtung. Sam dagegen wurde nett begrüßt, ausgefragt und zugetextet.

Wie immer nach den Ferien haben die Lehrer lediglich ihre Statements abgegeben und geregelt, was zu regeln war. Unterricht fand noch nicht wirklich statt.

Kurz vor Schulschluss wartet Sam ungeduldig auf das Klingeln, während Enna noch in aller Seelenruhe schreibt. Er hat den Verdacht, dass sie extra langsam schreibt, damit sie bis zum Ende irgendwie beschäftigt ist.

Zwei Jungen, die am Tisch direkt vor ihnen sitzen, reden pausenlos. Es fällt nicht weiter auf, weil der Lärm insgesamt zugenommen hat. Plötzlich drehen sie sich um und glotzen Enna an. So unverschämt, dass es sie provozieren müsste.

Sie ignoriert es.

Auch Sam tut so, als ob er die Aktion nicht mitbekommt. Beim ersten Klingelton stopft er seine Sachen in die Tasche und verlässt den Klassenraum.

In der Nacht vor dem Tag, der unser Leben zerstören sollte, wurde ich aus dem Schlaf gerissen. Es war stockdunkel, aber keiner dachte daran, Licht zu machen.

„Komm, Inyana, wir müssen hier so schnell wie möglich weg!" Umehire zerrte mich aus dem Bett.

Wieso weg?, wollte ich sie fragen. Brachte jedoch keinen Ton heraus.

Im Dunkeln fühlte ich, wie Umehire mir ein Kleid und eine Jacke überzog, hörte, wie Mama und Ingabire leise miteinander redeten. Ihre Stimmen klangen schrecklich aufgeregt. Umehire ging ein paar Schritte weg, kam zurück und drückte mir Sandalen in die Hand.

„Hier, zieh die an! Und dann komm! Wenn wir draußen sind, musst du rennen."

„Seid ihr so weit?", wisperte meine Mutter.

Ich begriff nicht, was geschah. Gehorsam schlüpfte ich in die Schuhe. Wo ist Papa?, dachte ich. Gestern Abend wollte er doch wiederkommen!

Umehire packte mich an der Hand und schleppte mich zur Tür, die Mama nur einen Spaltbreit öffnete, um hastig einen Blick hinauszuwerfen.

Da war ein dunkelroter Schimmer in der Ferne, ein fremdes Licht in der Nacht, Schreie, die von dort zu uns hinübergellten, und die Kühe brüllten wie am Spieß. Vor dem Haus aber war es still.

„Jetzt!", zischte Mama, riss die Tür auf und wir rannten los.

Jeden Morgen ist es das gleiche Spiel, auch wenn sich heute das Wetter von einer völlig anderen Seite zeigt als bisher. Es regnet Bindfäden.

Fünf Minuten vor Unterrichtsbeginn, so knapp wie eben möglich, ist Sam am Schultor eingetroffen, wo er wie üblich wartet, bis es klingelt. Auf Pünktlichkeit wird hier großen Wert gelegt, Gesetz Nummer eins der Schulordnung, die er und Enna gleich am ersten Tag unterschreiben mussten.

Auch Julia und Nadine halten sich neuerdings am Schultor

auf, und zwar seinetwegen, das ist klar. Obwohl sie ein paar Meter Abstand halten und so tun, als sei er Luft für sie. Dabei reden sie so laut, dass er jedes Wort verstehen muss. Ihr Getue nervt ihn, doch was soll er machen, schließlich kann er ihnen nicht verbieten, da zu sein. Er könnte sich sogar geschmeichelt fühlen, weil sich zwei der beliebtesten Mädchen so für ihn interessieren.

Mitten auf dem Schulhof steht, wie jeden Morgen, Enna – ganz allein. Und zum wiederholten Mal fragt Sam sich, was sie dazu treibt, sich dort allen Blicken auszusetzen. Undenkbar wäre das für ihn.

Er lässt das Frühstück noch einmal Revue passieren, während er in Ennas Richtung starrt. Eine leuchtend gelbe Regenjacke hat sie heute an. So einen Friesenfrack oder wie die Dinger heißen. Sie hat Mut, das muss man ihr schon lassen. Wie eine Insel auf der Insel kommt sie ihm manchmal vor.

Das Frühstück ist für Sam eine Art Stimmungsbarometer, zeigt mal steigende, mal fallende Tendenz. Heute war sie überraschend steigend, ganz im Gegensatz zur miesen Wetterlage. Ausnahmsweise war seine Mutter früh genug aufgestanden, um ein Frühstück auf den Tisch zu zaubern, das sich sehen lassen konnte. Milchkaffee, warme Brötchen, Spiegelei mit Speck, Orangensaft. Als ob Sonntag wäre oder es einen Grund zum Feiern gäbe. Es ist Dads zweite Arbeitswoche und zehn Tage Schule liegen hinter Sam.

Mums engagierter Einsatz zu so ungewöhnlich früher Stunde – in der Regel schläft sie endlos lange in den Tag hinein – wirkte auf Dad wie ein Aufputschmittel. Er redete in einer Tour und pries dabei das Inselleben in den höchsten Tönen.

An Sam war der Wortschwall vorbeigerauscht wie der Regen vor dem Fenster. Auch den auf ihn gemünzten Hinweis, es gäbe einen guten Schwimmverein, hatte er nicht kommentiert. Was soll er hier mit einem Schwimmverein? Wenn überhaupt, würde er allein trainieren. Sein Verein ist anderswo, das soll Dad endlich mal zur Kenntnis nehmen!

„Wie wär's denn, wenn ihr mich nachher von der Praxis abholt? Wir könnten ein paar Wintersachen kaufen und danach zusammen essen gehen. Gegenüber von der Praxis ist ein Fischrestaurant."

Sam sah seine Mutter freudig nicken und registrierte, dass ihr Haar gewachsen war. Wie eine enge schwarze Mütze schloss es sich um ihren Kopf.

Klamotten kaufen. Lecker essen gehen. Keine schlechte Perspektive – vorausgesetzt, dass die Schule erst mal überstanden ist.

Den gelben Fleck nicht aus den Augen lassend, grübelt Sam weiter über Enna nach. Will sie etwa demonstrieren, dass sie anders ist? Oder meint sie, dass sie sich, so in den Mittelpunkt gestellt, unangreifbar macht? So seltsam das auch ist, es scheint zu funktionieren. Um sie herum, in einem Radius von mindestens drei Metern, alles frei. Als ob ein Bannkreis sie umschließen würde.

Julia und Nadine rücken Sam langsam näher, einen großen bunten Schirm über sich gespannt.

Auch das Näherrücken ist ein Teil des Spiels. Schräge Blicke, Flüstern, abgebrochene Sätze. Finger, die durch lange, blonde Haare streifen, an den kurzen Röcken zupfen, um sie zu verlängern, was nicht geht. Dafür sitzen die viel zu stramm.

Diese Anmachgesten kennt Sam zur Genüge. In Hamburg war es auch nicht anders, doch es hat ihn nie sonderlich interessiert. Bloß keinen Stress!, war die Devise, an der es nichts zu rütteln gab. Denn, wenn überhaupt, fuhren er und Jan und Olli immer auf dasselbe Mädchen ab. Das gab dann ein paar Tage lang Gesprächsstoff, Anlass auch zu Plänkeleien, mehr aber nicht. Zu kompliziert das Ganze, wenn man Drilling ist, für Sam besonders, weil ihm klar war, dass er sowieso das Rennen machen würde.

Schon als Kind war er ein absoluter Frauentyp. „Oh, ist der süß! So ein hübscher Junge! Ein kleiner Prinz aus dem Morgenland" … Sprüche dieser Art musste er ohne Ende über sich ergehen lassen. Und Mums Gesicht erstarrte jedes Mal zu ihrem „Bleib-mir-bloß-vom-Hals-Ausdruck", der selbst Monster in die Flucht geschlagen hätte.

Sam sieht aus wie sie. Nur ein paar Nuancen heller ist seine Haut und sein Haar lockig, nicht so kraus wir ihres. Von seinem Vater hat er, äußerlich zumindest, nichts.

Aus dem Augenwinkel nimmt er plötzlich wahr, wie Nadine in der Tasche ihrer strahlend weißen Jacke fummelt und sich kurz danach ein Handy quer vors Auge hält. Abrupt kehrt er ihr den Rücken zu.

„Hi, Sam!"

Ohne es zu wollen, wendet er den Kopf – und schlägt gerade noch rechtzeitig beide Hände vors Gesicht.

„Lass den Blödsinn!"

Die Mädchen kichern.

„Fürs Archiv", sagt Nadine und schwenkt das Handy von ihm weg in Ennas Richtung, um jetzt sie ins Visier zu nehmen. Gleich mehrmals drückt ihr Finger ab.

„Und das für unsere nächste ‚Top-und-Flop-des-Monats'-Seite."

Tagelang lag ich eingezwängt zwischen meinen Müttern und begriff noch immer nicht, was geschah.

Eine Nachbarin hatte uns in ihrem Küchenhaus versteckt, in einer dunklen Ecke hinter Vorratssäcken und Bananenbergen. Sie hieß Mukantaganda, was „die Fleißige" bedeutet, und gehörte zu den anderen, die nicht um ihr Leben fürchten mussten.

Damals wusste ich noch nicht, dass es solche gab, deren Leben ständig in Gefahr war, und die anderen, die sich sicher fühlen konnten. Sehr viel später erst sollte ich erfahren, dass wir zu den Ersteren gehörten.

Warum laufen wir denn weg und verstecken uns?, fragte ich mich unentwegt. Verstecken muss man sich doch nur, wenn man etwas ausgefressen hat.

Steinhart war der Boden unter unseren Matten und nach kurzer Zeit tat mir alles weh. Noch schlimmer aber war es, dass ich mich nicht bewegen durfte.

Irgendwie ertrug ich es, denn ich hörte ja das Gebrüll und die Schreie, merkte, dass da draußen etwas Furchtbares geschah. Manchmal polterte es ganz gewaltig nebenan. Dann hielten wir uns aneinander fest und ich zitterte vor Angst.

Hin und wieder brachte Mukantaganda uns etwas zu essen und zu trinken, leerte auch den Eimer, der in einer anderen Ecke stand, wo wir unser stinkendes Geschäft verrichten mussten.

Als ich meine Mutter einmal leise dabei schluchzen hörte, ahnte ich, wie schrecklich sie sich schämte.

Die Nachbarin schlich herein, blieb nie länger, als sie musste, und nur selten sagte sie ein Wort. Auch ihr stand die Angst ins Gesicht geschrieben.

Pitzow, ihr Klassenlehrer mit den Fächern Deutsch und Englisch, ist ein Hardliner, der nicht mit sich spaßen lässt. Er legt es geradezu darauf an, Wissenslücken aufzudecken, um die ertappten Schüler dann genüsslich vor der Klasse bloßzustellen.

Bislang sind Sam, aus welchem Grund auch immer, Pitzows Offensiven noch erspart geblieben. Kann sein, weil Neue erst mal Schonzeit kriegen oder Pitzow ahnt, dass Sam eine Menge mehr zu bieten hat, als er zeigt. Englisch spricht er fließend, er ist mit der Sprache aufgewachsen, und in Deutsch war er schon immer ein Naturtalent. Seit er lesen kann, liest er beinah alles, was er in die Finger kriegt.

Außerhalb der Schule würde man Pitzow höchstwahrscheinlich übersehen: schüttere graue Haare, in die Stirn geklebt, blasses, aufgeschwemmtes Allerweltsgesicht. Auch seine intensiv blauen Augen, groß und rund wie die von einem Kind, könnten ihn auf den ersten Blick harmlos wirken lassen. Wenn da nicht das kalte Glitzern wäre. Und die eigenartig helle Stimme, die mit jedem seiner knappen Sätze messerscharf ins Schwarze trifft. Jetzt steht er vor der Tafel, ein frisches Kreidestück in der Hand.

„Keine Zicken wie beim letzten Mal, schließlich will ich heute auch noch unterrichten! Es ist alles vorbereitet, also los!"

Klassensprecherwahl. Schon nach kurzer Zeit hat Pitzow ein paar Namen aufgeschrieben, Nadine führt die Liste an.

„Na, das ging ja ausnahmsweise zügig. Männer-Frauen-Quote sogar ausgewogen!" Zufrieden greift er nach dem kleinen Zettelstapel auf dem Pult.

Da meldet sich Nadine. „Moment, ich schlage außerdem noch Enna vor."

Pitzow stockt und reißt verblüfft die Kinderaugen auf. Gesichter wenden sich mit Schwung nach hinten, als wäre die Bewegung einstudiert.

Sam, genauso überrascht wie alle anderen, spürt, wie innerlich ein Ruck durch Enna geht, obwohl sie dasitzt, ohne sich zu rühren, nicht mal schluckt. Ihre Augen blicken ausdruckslos nach vorn. Nadines Augen fixieren Sam.

Gemeines Biest!, denkt er empört. Aber immerhin hat sie es geschafft, Pitzow aus dem Gleichgewicht zu bringen. Dem springt der Ärger förmlich aus dem Kragen, während er wortlos Ennas Namen auf die Liste setzt. Seine Hand drückt beim Schreiben so brutal auf die Tafel, dass die Kreide quietscht.

„Noch ein Vorschlag? … Gut, dann schreiten wir zur Wahl!"

Eines Tages endlich konnten wir das Versteck verlassen. Das Morden war vorüber und das Land hatte einen neuen Präsidenten, der versprach, dass von nun an alles besser werden sollte.

Als die Tür nach draußen wieder aufging, war ich nicht mehr aufzuhalten. Ohne meine Mutter oder meine Schwestern zu beachten, schoss ich in den Vorhof, wo die Sonne grell vom Himmel schien. Jetzt sofort wollte ich zu meiner Kuh!

Ungefähr tausend Meter waren es bis zu den Weideplätzen und den Weg dorthin, der in umgekehrter Richtung auch zur Wasserstelle führte, kannte ich genau.

Ich rannte los, vorbei an abgebrannten Häusern, stolperte ein paarmal blindlings über Gegenstände, die jemand unterwegs verloren hatte, rannte achtlos weiter, ohne wahrzunehmen, dass der Terror überall seine Spuren hinterlassen hatte und nichts mehr so wie vorher war. Einzig und allein Kanama hatte ich im Sinn. Und so hätte ich auch sie beinahe überrannt.

Umhüllt von einer schwarzen Fliegenwolke lag ihr Kopf mitten auf dem Weg. Ihr Maul war aufgerissen wie zu einem stummen Schrei und ihre großen dunklen Augen starrten ohne Glanz ins Leere. Die allerliebsten Augen der Welt.

Es war das Ende.

Alle Kühe abgeschlachtet, ihre Körper fortgeschleppt und in Schutt und Asche unser Haus.

Nichts mehr da, was uns gehörte.

Auch mein Vater kam nicht mehr zurück und noch am selben Tag erfuhren wir, wo und wie sie ihn getötet hatten. Schwer verwundet, aber lebend hatten sie ihn in den Fluss geworfen, wo er jämmerlich ertrank. Seine Leiche wurde von den Fluten fortgetrieben, sodass wir ihn noch nicht einmal begraben konnten!

Als ich das erfuhr, hörte Inyana auf zu existieren, es gab kein starkes, wildes Kälbchen mehr.

In der Fünfminutenpause, gleich nachdem die Tür hinter Pitzow zugefallen ist, bricht ein lärmender Tumult aus. Alle reden durcheinander, denn im Anschluss an die Wahl sind sie knallhart rangenommen worden. Nadine ganz besonders, die, wie zu erwarten, wieder mal haushoch gewonnen hatte. Pitzow ließ ihr allerdings keine Zeit, den Triumph auszukosten, sondern führte sie als Erste vor. Vokabeln rauf und runter, kreuz und quer, bis sie völlig durcheinander war. Das war Pitzows Kommentar zum Verlauf der Wahl.

Noch immer prangt das Wahlergebnis an der Tafel. Dreizehn Stimmen für Nadine, die übrigen verteilt auf die anderen Kandidaten und … für Enna eine! Dazu eine Stimmenthaltung. Das war Sam, der ohnehin nicht gewusst hat, wen er wählen sollte.

Für Enna eine Stimme? Irgendjemand mochte sie also doch?

Als ob nichts Ungewöhnliches geschehen wäre, packt sie gerade seelenruhig ihre Englischsachen ein. Nadine verlässt ihren Platz und nähert sich im Wiegeschritt der letzten Reihe.

„Ich denke, es ist Zeit für eine Wahlanalyse", ruft sie in den allgemeinen Lärm.

Augenblicklich wird es etwas stiller.

„Mich würde nämlich brennend interessieren, wie es kommt, dass Enna so gut abgeschnitten hat!"

Jetzt herrscht absolutes Schweigen.

Enna richtet sich ein wenig auf, ihre Wangen leicht gerötet. Sonst zeigt sie nicht die leiseste Reaktion.

„Was meinst du, Enna, von wem könnte deine Stimme sein?"

„Bestimmt hat ihre Mutter aus der Ferne mitgemischt", kommt ein Kommentar vom Fenster. „Ich meine, telemäßig oder so."

Gelächter macht sich breit. Zuerst unterdrückt, dann ganz unverhohlen.

Nadine grinst und schlägt sich an die Stirn. „Mensch, ja, das ist es! Ennas Mutter hat bestimmt ein Medium unter uns. Fragt sich bloß, wer kann das sein?" Sie reißt die Arme hoch, krümmt ihre langen Finger mit den violett lackierten Nägeln, als wolle sie nach etwas Unsichtbarem greifen. Theatralisch schließt sie ihre Augen. "Wo steckst du, unbekanntes Wesen? Komm und zeig uns dein Gesicht!" Ihre Stimme klingt beschwörend, ihre Hände schlagen wilde Wellen in der Luft. Bühnenreif.

Ennas Hände ballen sich zu Fäusten.

Sam fasst es nicht, was sich hier gerade abspielt. Total krank ist das!

Nadine lässt die Arme sinken, stöhnt ein paarmal abgrundtief. Dann öffnet sie die Augen, blinzelt übertrieben, als sei sie eben aus der Trance erwacht. "Schade, Enna. Weit und breit keiner da, der sich zu dir bekennen will. Oder ... warte!" Ihr Ton schlägt um, wird plötzlich beißend. "Wäre ja auch möglich, dass du dich vorsichtshalber selbst gewählt hast, damit der Wahlausgang nicht ganz so peinlich für dich wird."

Das geht zu weit!

"Wenn du's genau wissen willst", sagt Sam gezwungen locker, "ich habe Enna gewählt. Und jetzt lass sie in Ruhe!"

Mucksmäuschenstill wird es in der Klasse. Nadines Mund klappt verdattert zu. Damit hat sie nicht gerechnet. Und Sam auch nicht mit dem, was seinen Worten folgt.

Enna streift ihn mit einem kurzen Seitenblick, um dann Nadine direkt ins Gesicht zu blicken. "Tut mir echt leid für dich, Nadine", sagt sie, ohne eine Miene zu verziehen. Laut genug jedoch, dass es alle hören können. "Dieser Schuss ging wohl nach hinten los. Scheinbar fängt dein Fanclub langsam zu bröckeln an. Nicht jeder, hinter dem du her bist, ist so leicht zu haben, wie du denkst!"

Nadine atmet heftig ein und aus. Ihre Augen blitzen. "Das war ein Fehler, Enna!", zischt sie. "Du wirst schon sehen, was du davon hast!"

Wir zogen um in die Stadt, wo Verwandte meines Vaters und auch eine Freundin meiner Mutter wohnten.

Für meine Mutter war es nicht das erste Mal, dass sie Haus und Hof und Vieh verloren hatte. Sie wusste, wie es war, alles wieder neu aufzubauen und von vorne anzufangen, doch nun wollte sie nicht mehr. Ohne meinen Vater fehlte ihr die Kraft.

Ich musste mit in die Stadt, ob es mir gefiel oder nicht. Anfangs wollte ich es auch, nach allem, was geschehen war, aber dann … Ich war kein Kind für die Stadt, passte einfach nicht dahin. Und du kannst dir sicher denken, dass ich dort überhaupt kein bisschen Freiheit hatte. Keinen Schritt durfte ich allein vor die Tür. Meine Schwestern überwachten mich wie Soldaten, erst als ich zur Schule kam, wurde es erträglicher.

Denn inzwischen hatte meine Mutter Arbeit. Sie putzte, wusch und kochte für ein weißes Ehepaar aus England. Der Mann war Arzt und arbeitete im großen Krankenhaus der Stadt, seine Frau engagierte sich für ein Hilfsprojekt.

Auch Umehire hatte eine Stelle in demselben Krankenhaus, sie wollte Krankenschwester werden, und Ingabire stand kurz vor ihrem Schulabschluss. Keine meiner Mütter hatte mehr die Zeit, sich pausenlos um mich zu kümmern. Und so bekam ich endlich wieder etwas Luft.

Nach Schulschluss macht sich Sam so schnell wie möglich auf den Weg. Doch kurz vorm Ausgang hört er plötzlich Schritte hinter sich.

„Sam!"

Es ist Enna, die ihn überholt und sich so vor ihm aufbaut, dass er nicht an ihr vorbeikann.

„Ja?"

„Warum hast du das gesagt?"

„Was?"

„Dass du mich gewählt hast, obwohl es überhaupt nicht stimmt."

„Ich versteh nicht, was du meinst."

„Klar verstehst du! Jetzt rück schon raus: Warum?"

„Nein, ich verstehe wirklich nicht, wovon du redest. Und überhaupt, wie willst du wissen ..."

„Ich weiß es eben. Also?!" Sie starrt ihn an.

„Bist du etwa sauer?"

„Nein, mich interessieren lediglich deine Gründe. Also sag schon, was du dir dabei gedacht hast!"

„Keine Ahnung."

„Wie – keine Ahnung?"

„Keine Ahnung eben. Punkt."

„Ach so ist das. Na schön, dann ist ja alles klar! Bitte lass es einfach nächstes Mal!"

„Wie bist du denn drauf?"

„Ich will bloß wissen, weshalb du eben so was wie den edlen Ritter für mich abgegeben hast."

„Für dich?"

„Okay, vergiss es!" Jetzt ist sie wirklich wütend. Macht auf dem Absatz kehrt, dreht Sam den Rücken zu.

„Warte, Enna!"

„Ja?!"

„Sagen wir, aus Fairnessgründen. Was da vorhin abgegangen ist, finde ich zum Kotzen."

„Na gut." Sie will gehen.

„Enna?"

„Ja?"

„Was macht dich eigentlich so sicher, dass ich dich nicht doch gewählt habe?"

„Ich weiß genau, von wem ich meine Stimme habe."

„Du weißt …?"

„Klar weiß ich das."

„Ach so …"

„Natürlich habe ich mich selbst gewählt. Warum auch nicht?"

Nach der Schule musste ich zu Mamas Freundin, die gleich um die Ecke wohnte.

Nyirahuku, „Katze", hieß sie und wie eine Katze war sie auch. Wenn ich nicht sofort auf sie hörte, fauchte sie mich an und manchmal kniff sie mich mit ihren Fingernagelkrallen in den Arm. Ich beklagte mich bei meiner Mutter, die jedoch nicht mit sich reden ließ. Sie schickte mich weiter zu der Nachbarin, wo ich so lange bleiben musste, bis Mama von der Arbeit wiederkam. Nyirahuku war den ganzen Tag zu Hause, weil ihr Mann noch lebte und für die Familie sorgte.

Zum Glück hatte sie nur vier Söhne, keine Töchter!, und der jüngste, Munyemana, war ungefähr so alt wie ich. Zuerst zankten wir uns dauernd, weil er nicht mit einem Mädchen spielen wollte. Als er aber merkte, dass ich schneller war als er, wie ein Affe klettern konnte und nie weinte, wenn ich mal bei einem Kampf etwas abbekam, wurden wir die dicksten Freunde.

„Du bist gar kein Mädchen!", sagte er.

DREI

Zwei Wochen später macht sich Sam gleich nach dem Mittagessen mit dem Fahrrad auf den Weg. Die Hausaufgaben können warten, damit nimmt er es inzwischen nicht mehr so genau, und abends hat er sowieso nie etwas vor.

Er will ins Watt zu den Hünengräbern, die man bei Ebbe sehen kann. Findlinge sind es, viertausend Jahre alt. Es gibt ein paar davon auf der Insel, wie er seit dem Urlaub vor zwei Jahren weiß. Jetzt will er noch mal hin, hofft, dass er sie wiederfindet und … in dem kleinen Dorf ganz in der Nähe vielleicht an Ennas Haus vorbeikommt. Nur um zu sehen, wo sie wohnt.

Noch immer sitzt er neben ihr. Und noch immer kennen sie sich kaum. Seit dem Vorfall bei der Klassensprecherwahl aber ist es anders. Obwohl sie selten miteinander reden, empfindet Sam eine Art stille Übereinkunft. Etwas Warmes ist es, Spannendes, das in Sam von Tag zu Tag mehr Land gewinnt. Manchmal ertappt er sich dabei, dass sein Knie heimlich unterm Tisch eine Brücke zu ihr bauen möchte, und seine Augen schielen dauernd zu ihr hin. Sein drittes Auge sieht jetzt immer mit. Ennas Nacken: blonder Flaum auf den kleinen Wirbeln, die sich zeigen, wenn sie sich über ihre Hefte beugt. Und wenn sie konzentriert über etwas nachdenkt, kaut sie an der Unterlippe. Ennas kleine Hand, die für ein Mädchen ziemlich kräftig ist. Sam mag Enna. Sehr sogar. Obwohl er nicht viel von ihr weiß. Was er von ihr mitkriegt, wirkt so ungeheuer stark und selbstbewusst! Sie ist allein wie er, doch es scheint ihr überhaupt nichts auszumachen.

Von den anderen aus der Klasse hält Sam sich fern, vor allem von Nadine, die noch erkennbar beleidigt ist. Zwar versuchen einige, an ihn heranzukommen, doch er will nicht, schon auch wegen Enna nicht! Die Gerüchteküche über ihre Mutter kocht: Von geheimen Treffen, von Magie, sogar von Hexerei ist die Rede. Keinen Augenblick glaubt Sam solchen Unsinn, es reizt ihn aber zu erfahren, was dahintersteckt.

Anfang September sind die Temperaturen schon stark gesunken, besonders morgens ist es richtig kalt. Der Himmel über Sam ist wieder blau und klar, das Licht so hell, dass es blendet. So weit man sehen kann, Äcker, Wiesen, Weiden, die sich auf platter Fläche endlos dehnen. Aufgeblähte weiße Wolken türmen sich am Horizont.

Sam radelt unterhalb des Deiches, wo es sich, windgeschützt, ein bisschen leichter fährt. Fette Schafe grasen seelenruhig am Hang. Mit ihrer dicken weißen Wolle sind auch sie kleine aufgeblähte Wolken. Sie lassen sich durch Sam nicht stören. Ihre Mäuler stecken tief im Gras und er kann hören, wie sie rupfen. Unablässig und im Chor. Einen eigenen Rhythmus hat das. Sonst ist es angenehm still.

Vor einer anderen Stille, der zu Hause, ist er abgehauen.

Ennas Dorf kommt in Sicht. Es ist winzig und von Weideland umgeben. Doch an der Abzweigung, die hineinführt, radelt Sam vorbei. Er möchte zuerst zum Hünengrab. Soweit er sich erinnern kann, muss es ganz in der Nähe sein.

Nach ein paar Hundert Metern hält er an, springt ab und lässt sein Rad auf den Boden fallen. Nimmt sich noch nicht einmal die Zeit, es abzuschließen. Schnell klettert er den Deich hinauf und – als er endlich oben ist – sieht er sie.

Nicht die Findlinge, sondern Enna!

Sie steht im Watt, die Beine leicht gespreizt, bis zu den Knöcheln sind ihre Füße in den Schlick gesunken. Ihr langes, blondes Haar fällt lose über ihren Rücken, doch auch ohne Zopf erkennt Sam sie sofort.

Sam wartet eine Weile, ohne sich zu rühren.

Zwei kleine Inseln ragen aus dem Watt. Nur weißer Sand und Seegras, mehr scheint es nicht zu sein. Es sind Vogelinseln, die man nicht betreten darf. Brutplatz für Seevögel, die sich in riesigen Scharen bei Flut dort niederlassen. Jetzt sind nur wenige in Sicht.

Und direkt unter Sam am Fuß des Deiches liegt das Hünengrab. Sechs große Felsbrocken zu einem Kreis formiert. Dahinter weitere, kleinere Brocken. Vor Urzeiten haben Menschen sie dorthin geschleppt und auch in Zukunft werden sie wahrscheinlich alles andere überdauern. Zwischen ihnen häufen sich jede Menge Steine, die in eine Jackentasche passen.

Sam erinnert sich an den Nachmittag vor zwei Jahren, als er mit seinen Eltern hier gewesen war. Sie hatten damals einen trüben Tag genutzt, um die Insel zu erkunden, und da unten Rast gemacht. Es war einer der seltenen Tage gewesen, an denen Mum wie ausgewechselt war …

Plötzlich war Fe aufgestanden und hatte begonnen, Steine vom Boden zu sammeln. Murmelgroße, runde Steine, die sie hochwarf, in den Sand fallen ließ und eine Weile musterte, um ihre Lage zu studieren. Dann nahm sie einen auf, warf ihn in die Luft und griff blitzschnell nach dem nächsten, bevor sie den ersten wieder fing.

Baff schaute Sam ihr zu, wie sie danach zwei Steine in die Luft warf, den dritten aufhob und die ersten beiden schnappte, bevor sie unten angekommen waren. So ging es weiter. Drei Steine in der Luft, noch zwei am Boden. Vier Steine in der Luft, der fünfte aufgenommen, alle vier gefangen. Jedes Mal nur eine einzige Bewegung. Schnell und so geschickt, als wäre es ein Kinderspiel. Zum Schluss fünf Steine sicher in der Hand.

Dad und er gaben sich die größte Mühe, Fe nachzueifern,

scheiterten jedoch hoffnungslos. Nach zig Versuchen, die alle in Gelächter endeten, gaben sie schließlich auf. Sam schaffte es gerade mal, zwei Steine aufzufangen. Dad erwischte schon den ersten nicht.

Zum Ausgleich schlug er danach vor, dass jeder von ihnen um die Wette besonders schöne Steine sammeln sollte.

Sam rannte los. Durchwühlte Stein- und Muschelhaufen, die sich, von der Flut an Land geschwemmt, hinter den großen Brocken angesammelt hatten. Suchte nach Glitzerndem, nach Kristallen. Nach etwas, das besonders kostbar wirkte. Doch er fand nur eine blaue Glasscherbe, deren Kanten von den Wellen rund gewaschen waren. Sonst nichts, womit er konkurrieren konnte.

Mum brachte eine Handvoll unterschiedlich großer Steineier. Braune, weiße, graue und gesprenkelte. Dad aber übertrumpfte alles. Seine Steine waren kleine Kunstwerke, vom Meer geformt: zu einer Mondsichel, einem Stiefel, einer Kirche, einem Profil mit langer Nase. Sogar ein Fisch war dabei. Lachend drückte er Sam seine kleine Sammlung in die Hände.

„Hier, du kannst sie alle haben, wenn du willst."

Als ich älter war, vielleicht acht, durfte ich nach der Schule manchmal zu den Bazungus gehen, bei denen meine Mutter ihre Stelle hatte. Ich sollte ihr beim Putzen helfen.

Zuerst machte ich das auch, gern sogar, weil das Ehepaar ein großes Haus bewohnte, wo es viele Sachen gab, die ich noch nie gesehen hatte. Mit Feuereifer putzte ich, wischte unermüdlich hin und her, auf und ab, auch wenn schon alles sauber war. Ich liebte es, die fremden Möbel zu berühren. Unglaublich kostbar kamen sie mir vor.

Der Arzt und seine Frau waren etwas jünger als meine Mutter – wie viel jünger, kann ich dir nicht sagen. Schließlich waren sie

Bazungus, sahen anders aus als wir. Und sie benahmen sich auch anders, ziemlich seltsam, wie ich damals fand. Wenn sie in der Nähe waren, ließ ich sie nicht aus den Augen, gaffte sie so unverhohlen an, dass es meiner Mutter peinlich war. Auf dem Weg nach Hause schimpfte sie mit mir.

Schritt für Schritt steigt Sam den Deich hinunter, fragt sich aufgeregt, was er machen soll. Einfach zu den Findlingen gehen, wie geplant? So tun, als hätte er Enna nicht erkannt? Oder lieber erst zu ihr? Doch ihm fällt nichts ein, was er sagen könnte. Hier scheint es noch schwieriger als in der Schule. Während er sich Zeit lässt, saust etwas an ihm vorbei auf Enna zu. Ein kleiner, schwarzer Hund, der wie ein Pingpongball an ihr hochspringt. Schlickwasser spritzt nach allen Seiten auf, verbreitet eine schmutzige Fontäne.

Enna kreischt, zieht die Füße aus dem Schlick und rennt zum Strand. Der Hund flitzt bellend hinterher, wieselt zwischen ihren Beinen hindurch, bis sie stolpert, sich jedoch im letzten Augenblick noch fängt. Als sie Sam bemerkt, hält sie an und winkt. Er geht langsam auf sie zu.

Wie immer ist ihr Outfit ziemlich eigenwillig. Grob gestrickter, viel zu großer Pullover über einer kurzen, ausgefransten Jeans. Die bloßen Beine übersät mit schwarzen Spritzern.

„Ist das dein Hund?", fragt er. Blöde Frage, aber ihm fällt immer noch nichts ein.

Sie lacht und zieht die Nase kraus, als ob sie niesen müsste.

„Das ist Jona, den wir vor zwei Wochen hier gefunden haben. Klitschnass, bis auf die Knochen abgemagert. Sein Fell total verklebt mit Algen. Die haben wir kaum rausgekriegt. Meine Mutter sagt, den hat ein Wal ausgespuckt. Deshalb haben wir ihn so genannt."

„Hmm", weicht Sam aus, weil er ahnt, dass der Name irgendwas bedeutet, wovon er keinen blassen Schimmer hat.

Der Hund kratzt wie verrückt im Sand, immer an derselben Stelle, um ein tiefes Loch zu buddeln. Sam springt zurück, als ein paar Körner seine Augen treffen. Plötzlich kommt ein grauer Stein zutage. Faustgroß und wie ein Herz geformt. Der Hund beschnüffelt ihn nur kurz, wendet sich dann ab und lässt ihn achtlos liegen. Sam aber bückt sich unwillkürlich, um ihn aufzuheben, und hält ihn wenig später auf der flachen Hand.

„Echt schön!", sagt Enna. „So was Perfektes findet man ganz selten. Bei uns zu Hause gibt es jede Menge solcher Steine. Hast du Lust mitzukommen?"

Sam, gerade im Begriff, den Stein ins Meer zu schleudern, versenkt ihn in der Hosentasche. Damit, dass sie ihn so schnell zu sich nach Hause einlädt, hat er nicht gerechnet. Doch es ist die Gelegenheit! Natürlich will er sehen, wo und wie Enna lebt. Was daran so ungewöhnlich ist, dass die anderen sich das Maul zerreißen.

„Okay", sagt er.

„Dann komm!"

Etwas außerhalb des Dorfes, zwischen zwei großen Salzwiesen, liegt das kleine, alte Bauernhaus. Geduckt, an den Boden geschmiegt, sodass der Wind darüber hinwegfegt. Die weißen Wände leuchten in der Sonne. Ein schmaler Weg führt darauf zu und endet dort, wie man schon von Weitem sehen kann.

Jona jagt voraus und Sam schiebt sein Fahrrad neben Enna her, bis zu einem kleinen Tor, das schief in den Angeln hängt.

Enna führt ihn in einen von Sträuchern und Obstbäumen umwucherten Hof. Kleine rotbackige Äpfel hängen an knorrigen Ästen. Ein paar Hühner flattern gackernd auf eine Bruchsteinmauer neben einer Scheune zu, wo eine Katze in der Sonne döst.

Sie macht einen Buckel, faucht. Die Hühner kehren um. Riesig ist die Katze und so bunt gescheckt, dass einem davon schwindlig werden kann. Sie zieht den Buckel ein, streckt sich, gähnt und rollt sich wieder ein. Die Hühner fangen an zu picken, als sei nichts passiert.

Sam fühlt sich wie in einer anderen Welt.

Das helle Blau der Haustür und des Scheunentors ist verblichen, die Farbe blättert stellenweise ab. Vor dem Haus steht eine Bank und an einer Leine zwischen Eisenpfählen hängen Socken. Jenseits des Zauns grasen ein paar Ziegen.

„Aphrodite tut den Hühnern nichts. Bloß wenn einer sie beim Schlafen in der Sonne stört, fährt sie ihre Krallen aus", sagt Enna.

Aphrodite? – Sam fragt sich, ob die Ziegen und Hühner auch so kuriose Namen haben.

Drei abgetretene Steinstufen führen zur Haustür hinauf, die halb geöffnet ist. Enna geht voraus in einen schmalen Flur mit tiefer Decke.

„Hier lang", sagt sie und wendet sich nach rechts. „Gegenüber sind die Ziegenställe."

In der geräumigen Wohnküche fällt Sams erster Blick auf einen Küchenherd aus alten Zeiten. Darüber, an einer langen Eisenleiste hängend, baumeln Töpfe, Pfannen, Schöpflöffel, große Messer. Über Eck steht eine Ofenbank hinter einem alten Küchentisch, auf dem absolutes Chaos herrscht.

Die Wände sind vom Boden bis zur Decke grau gekachelt, auf den Kacheln dunkelblaue Ornamente, eine Wand ist zugestellt mit groben Holzregalen, wo sich ein Sammelsurium aus Büchern, Dosen, Flaschen, Trockensträußen, Kerzenstummeln und tatsächlich jeder Menge Steine befindet.

Herzsteine. Zwar auf den ersten Blick nicht so perfekt wie der in Sams Hosentasche, doch jeder einzelne von ihnen zweifellos ein Herz. Sie liegen da in allen Größen oder Farben, manche kantig, nicht gerundet, die Oberfläche einiger nicht glatt, sondern rau und voller Kerben.

„Das sind nicht alle, die wir haben, aber diese da sind unsere schönsten. Meine Mutter sagt, zu jedem Menschen gehört ein ganz bestimmter Stein. Und wenn du deinen findest, fängt etwas Neues an. Sie sagt, in den Steinen wohnt die Kraft der Erde, mit der wir in Verbindung bleiben müssen, sonst geht es uns nicht gut."

Sam irritiert es, dass Enna über solche Sachen redet wie über etwas ganz Alltägliches. Es hört sich irgendwie abgehoben an, nicht nach ihr. Krampfhaft überlegt er, was er sagen soll. Zum Glück kommt ihm Jona zu Hilfe, der plötzlich unterm Tisch hervorschießt, die Ohren spitzt und Laut gibt.

„Ist da draußen einer? Vielleicht deine Mutter?"

„Nee, die ist im Norden, kommt frühestens in zwei, drei Stunden wieder."

Sam ist erleichtert und enttäuscht zugleich.

Enna schiebt einen Haufen Wäsche auf der Ofenbank beiseite. „Willst du Tee? Oder Ziegenmilch?"

„Ihr trinkt Ziegenmilch?"

„Warum nicht?"

„Lieber Tee!" Sam setzt sich hin, holt Luft, um endlich seine Frage loszuwerden: „Was macht deine Mutter eigentlich?"

„Sie ist Heilerin."

„Dann hat sie Medizin studiert? Mein Vater ist auch Arzt."

Enna stopft ein paar Scheite Holz samt Zeitungen in den Herd, um ein Feuer anzuzünden. Sie füllt einen Wasserkessel, setzt ihn auf den Herd und fängt an, den Tisch abzuräumen.

„Nee, sie hat nie studiert. Trotzdem weiß sie alles über Krankheiten. Und kann sie sogar heilen."

„Aber wie?"

„Das weiß ich auch nicht so genau. Sie hat verschiedene

Methoden. Das meiste macht sie wohl mit Handauflegen. Sie sagt, die Heilkraft fließt durch ihre Hände."

„Und du glaubst solchen Quatsch?"

Enna knallt zwei Becher auf den Tisch. Scheint verärgert. Und dieses Mal kommt ihre Antwort nicht so schnell. Sam merkt deutlich, wie sie zögert.

„Eigentlich glaube ich es schon, obwohl ich nicht verstehe, wie es geht. Ich habe meine Mutter mal danach gefragt. Sie konnte es mir nicht genau erklären. Trotzdem weiß ich, dass sie vielen Leuten hilft. Sogar solchen, denen vorher niemand helfen konnte. Das beweist doch, dass sie fähig ist, zu heilen! Sie hilft sogar kranken Tieren."

„Und wieso sprechen dann alle so gemein über sie? Bestimmt hast du doch mitgekriegt, wie über sie geredet wird …"

Enna geht zum Herd und gießt den Tee auf. „Was soll's", sagt sie beinah teilnahmslos. „Ich hab mich dran gewöhnt. Auch daran, dass wir ständig unseren Wohnort wechseln … Nur manchmal …"

Plötzlich dreht sie sich um und ihre hellen Augen blicken sehr direkt in Sams. Mühsam kämpft er gegen das Verlangen an, einfach wegzugucken.

„Manchmal hat man's nicht gerade leicht mit einer Mutter, die so … anders ist. Oder? Was sagst du?"

Das weiße Ehepaar hatte keine Kinder, und so kam es, dass die Frau, sie hieß Elizabeth, anfing, sich für mich zu interessieren. Sie sprach ein bisschen unsere Sprache, auch Französisch, aber beides nicht besonders gut.

„Sie ist doch noch ein Kind!"

Mit diesen Worten gab sie meiner Mutter eines Tages zu verstehen, dass ich beim Putzen nicht mehr helfen sollte. Wenn ich kam, nahm sie mich von nun an beinah jedes Mal beiseite, um mit mir zu reden und zu spielen, mich mit Leckereien zu verwöhnen und mir Englisch beizubringen. Als ich gut genug war, ließ sie mich sogar einige ihrer Bücher lesen. Bücher! Eine Seltenheit für uns.

Fast drei Jahre lang ging das so. Elizabeth bestand darauf, dass ich mindestens zweimal in der Woche zu ihr kam, damit sie mich unterrichten konnte.

Sie ist ein guter Mensch, dachte ich. Und bildete mir etwas darauf ein, dass eine Frau wie sie sich mit mir abgab. Vermutlich aber tat sie es auch aus Langeweile.

Obwohl ich mich ihr nicht wirklich nahe fühlte, mochte ich sie sehr und genoss es, dass auch sie mich offensichtlich gernhatte. Und so lernte ich, wie die meisten Kinder in dem Alter, beinah mühelos eine fremde Sprache.

Mit dem Wind im Rücken, der ihn wie ein Propeller vorwärtstreibt, fährt Sam zurück. In seinem Kopf schwirrt es wie in einem Bienenstock.

Ennas Haus ist eine Höhle, in die man sich verkriechen kann. Es riecht überall nach Ziege, Staub und irgendwelchen Kräutern. Wie Ziegenmilch wohl schmeckt? Er hätte sie einfach mal probieren sollen.

Enna … Wie kann es sein, dass sie ihm so vertraut erscheint? Als ob er sie schon lange kennen würde! Ein Gefühl von Nähe, Wärme dehnt sich in ihm aus, weitet seine Brust. Und während er dem nachspürt, überfällt Sam plötzlich die Erinnerung.

Mum sitzt an seinem Bett und singt in einer fremden Sprache. Worte, die er als kleiner Junge wahrscheinlich sogar verstanden hat … ja, bestimmt ist es so gewesen … Nichts mehr davon da! Wann ist das gewesen? Und wann hat Mum aufgehört zu singen? Wann hat sie aufgehört, ihm wirklich nah zu sein?

Man ahnt den Sonnenuntergang, obwohl er nicht zu sehen ist. Es ist richtig kalt geworden. Sam verflucht sich selbst, weil er am Morgen seine Mutter abgewimmelt hat, als sie ihm einen warmen Pulli mitgeben wollte. Den hätte er jetzt gut gebrauchen können.

Die Mäuler der Schafe stecken immer noch im Gras. Nimmersatt. Plötzlich packt ihn auch ein Riesenhunger und – wie aus heiterem Himmel – eine Riesentraurigkeit.

Als Sam das Haus, in dem er jetzt mit seinen Eltern wohnt, von Weitem sieht, entdeckt er Licht hinter der Terrassentür. Ein kleines, blasses Licht in einem fremden Haus, wo überhaupt nichts wohnlich ist. Weil da eigentlich auch keiner richtig wohnt. Oder lebt. Jetzt dahin zurückzukehren ist Kontrastprogramm. Sam fürchtet sich vor der angespannten Stille. Am liebsten würde er einfach weiterfahren.

Doch er steigt ab, schiebt sein Fahrrad hinter die Garage, schließt es ab und geht auf die Terrasse zu. Durch die Glastür sieht er seinen Vater, der im schwachen Licht der Leselampe auf dem Sofa sitzt. Allein. Eine Zeitschrift neben sich, ein leeres Weinglas in der Hand. Ausnahmsweise liest er nicht, sondern stiert über seine Lesebrille vor sich hin. Mum ist höchstwahrscheinlich schon im Bett.

Sam schiebt die Tür auf.

„Hi, Dad!", sagt er, durchquert den Raum und lässt sich auf das Sofa plumpsen.

„Hallo, Sam. Wo kommst du jetzt erst her?"

„Ich war am Hünengrab. Und danach bei Enna." Er wartet ab, bevor er weiterspricht. Unschlüssig, was er seinem Vater noch erzählen soll. Dabei würde er wirklich gerne mit ihm reden. Über alles, was ihm gerade und seit Langem durch den Kopf geht. Er beginnt mit dem, was seinen Vater interessieren könnte. „Dad?"

„Hmm?"

„Enna sagt, ihre Mutter ist eine Heilerin."

„Was soll das heißen?"

„Sie hat Heilkräfte in den Händen, behauptet Enna. Den Fluss von positiver Energie."

„Du meinst nicht etwa solchen Humbug wie Handauflegen, oder?"

„Doch, ich glaube schon. Enna sagt, dass ihre Mutter Leute durch Handauflegen heilen kann."

Dad stellt das Glas beiseite, nimmt die Brille ab und mustert Sam. Wach und spöttisch. „So, sagt sie das? Hokuspokus, eins, zwei, drei, schon ist der ganze Spuk vorbei?"

„Nein! Ganz anders! Enna meint, es hat nichts mit Zauberei zu tun. Nur mit dieser positiven Energie, die wir alle in uns haben. Wenn sie aktiviert wird, heilen wir uns selbst, sagt Ennas Mutter. Und sie kann das eben. Ich meine, positive Energie zum Fließen bringen."

Gegen seinen Willen hat sich Sam ereifert. Es stört ihn, dass sein Vater sich über Ennas Mutter lustig macht. Dass er sie, ohne sie zu kennen, genauso diffamiert, wie es die anderen tun.

„Aber Sam!" Dads Tonfall wird jetzt ernst. „So einen hirnverbrannten Blödsinn glaubst du doch nicht wirklich!"

„Ich weiß nicht …", Sam zögert, weil er tatsächlich unsicher ist, „… du sagst doch auch immer, es gibt Dinge zwischen Himmel und Erde, von denen wir nicht die leiseste Ahnung haben!"

„Ja, sicher. Aber damit meine ich die Fragen der Wissenschaft, deren Antworten bis jetzt im Dunkeln liegen, weil wir mit unseren Forschungen noch lange nicht am Ende sind."

„Aber Ennas Mutter hat sehr vielen Leuten schon geholfen. Sogar denen, die davor vergeblich beim Arzt gewesen sind."

Das Wort Arzt betont Sam, auch um seinen Vater zu provozieren.

Der strafft die Schultern. Offenbar diskussionsbereit.

„Jetzt hör mir mal gut zu: Was glaubst du, wie viele Leute von Arzt zu Arzt rennen, weil sie sich wichtig machen oder bloß beachtet werden wollen. Und wenn sie immer wieder hören, dass ihnen überhaupt nichts fehlt, gehen sie zu solchen Wunderheilern. Da sind sie endlich an der richtigen Adresse."

Sam weiß nicht, was er jetzt entgegnen soll. Ihm ist klar, dass er sich auf dünnem Eis bewegt. Doch so leicht will er sich nicht geschlagen geben.

„Du sagst also, wenn einer wirklich krank ist, können Ärzte ihn auch heilen?"

„Natürlich nicht in jedem Fall. Sam, ich bitte dich, das weißt du doch! Manchmal ist es leider schon zu spät. Und natürlich gibt es Krankheiten, die man *noch* nicht heilen kann."

„Wenn es Ennas Mutter aber trotzdem schafft?"

„Hör mal, Sam!" Dad klingt gereizt. „Ich habe wirklich nichts dagegen, wenn du dich mit diesem Mädchen triffst. Ich bin sogar froh, dass du hier jemanden gefunden hast, mit dem du dich offenbar gut verstehst. Ihre Mutter aber … Solche Leute sind ein Risiko, nutzen nur das Leid und die Schwächen Kranker aus, um sich an ihnen zu bereichern."

„Mensch, du solltest mal ihr Haus sehen! Wie die da wohnen! Ganz einfach, ohne jeden Luxus. Die sind ganz bestimmt nicht reich."

„Vielleicht gehört das ja zum Image", erwidert Dad. „Wer weiß denn schon, was die heimlich auf dem Konto hat?"

„Sag mal, kann es sein, dass ausgerechnet du Vorurteile hast? Du kennst doch Ennas Mutter überhaupt nicht …"

„Glaub mir, Sam, ich muss die überhaupt nicht kennen. Das Geschwafel über positive Energie sagt mir schon genug!"

„Und was hast du gegen positive Energie? Die könnten wir doch alle gut gebrauchen. Besonders Mum!"

Dad fährt hoch. Sein Gesicht erst blass, dann feuerrot. „Lass

Mum da raus! Sie braucht Hilfe, niemand weiß das besser als ich!", sagt er gepresst. „Das hast du gerade hoffentlich nicht ernst gemeint. Über Fes … Probleme in dem Zusammenhang zu sprechen, also … das … ist wirklich unerträglich!"

Sam weiß, dass er zu weit gegangen ist. Seine Worte tun ihm leid und am liebsten hätte er das auch gesagt. Doch er kann nicht.

„Ich geh schlafen", sagt er und verlässt das Zimmer.

Übrigens gefiel es meiner Mutter ganz und gar nicht, dass Elizabeth sich so intensiv um mich kümmerte. Vor allem passte es ihr nicht, dass sie, während ihre Tochter so verwöhnt und bevorzugt wurde, eine Arbeit tat, für die wir früher selbst Dienstboten hatten. Ich ignorierte ihren Ärger, wollte auch nicht sehen, wie ein Graben zwischen mir und meiner Mutter wuchs.

Vermutlich war sie eifersüchtig, wie vielleicht auch früher schon, als mein Vater so viel Zeit mit mir verbrachte. Zuerst hatte er in mir etwas Besonderes gesehen und nun Elizabeth!

Meine Mutter fürchtete, das Ganze könnte mir zu Kopf zu steigen, und wahrscheinlich hatte sie sogar recht. Verhindern aber konnte sie es nicht.

Mit aller Kraft tritt Sam in die Pedale, kämpft gegen einen scharfen Wind, der seine Jacke zum Ballon aufbläht und ein Vorwärtskommen fast unmöglich macht. Er will zu Enna, kann es kaum erwarten, sie zu sehen.

Seit der abendlichen Diskussion im Wohnzimmer ist ein Damm in ihm gebrochen. Bis dahin hat er sich beherrscht, weil er alles nicht noch schwerer machen wollte, als es sowieso schon ist. Auch wenn sein Vater es nicht eingestehen will, hat Sam längst bemerkt, dass er nicht gerade glücklich ist. Zwar ist Dad in der Regel früh zu Hause, aber viel erschöpfter als in Hamburg. Und anders als in Hamburg, wo er leidenschaftlich seiner Arbeit nachging, ist er hier meistens spürbar unzufrieden. Schon ein paarmal hat er sich furchtbar aufgeregt, weil er mit Patienten seine Zeit verplempern muss, die Gespräche übers Wetter oder andere Nichtigkeiten führen wollen. Und abends hat er kaum noch Lust, sich zu unterhalten. Sam nimmt es hin, weil ihm gar nichts anderes übrig bleibt.

Auch, dass seine Mutter neuerdings haufenweise Hefte mit Sudokus kauft und ohne Ende Zahlenrätsel löst. So exzessiv, als ob sie süchtig wäre. Dass sie lieber ohne Dad und ihn am Meer spazieren geht – erst gegen Abend, wenn es leer am Strand geworden ist – und sich danach gleich ins Bett verzieht.

Das Schweigen seiner Eltern, hinter dem sich irgendetwas verbirgt, wovon Sam völlig ausgeschlossen bleibt, ist beklemmend. In Hamburg hat er diese Spannung nicht so wahrgenommen. Da war er ja die meiste Zeit mit Jan und Olli unterwegs und konnte beinahe rund um die Uhr seine eigenen Sachen machen. Hier hat er außer Enna niemanden.

Als das kleine Bauernhaus in Sicht kommt, tritt Sam auf die Bremse und steigt ab, um das letzte Stück zu schieben.

Was, wenn Enna ihn gar nicht sehen will? Schließlich haben sie nichts ausgemacht. Und heute Morgen in der Schule hat sie so getan, als ob zwischen ihnen alles noch beim Alten wäre. Er fand das ganz in Ordnung. Weil es nämlich keinen in der Klasse etwas angeht, dass sie sich jetzt besser kennen. Und was, wenn ihre Mutter heute da ist? Auch sie könnte ja dagegen sein, dass er und Enna …

Noch ist Zeit umzukehren. Sams linke Hand hält den Lenker, die rechte wandert in die Tasche seiner Jeans, wo der Herzstein steckt. Seine Finger schließen sich um die Rundungen, die perfekte Form des Herzens, die man blind ertasten kann. Die kühle, raue Oberfläche reibt sich an der Innenseite seiner Hand.

Zu jedem Menschen gehört ein ganz bestimmter Stein. Wenn du deinen findest, fängt etwas Neues an …

Ennas Worte.

Sam lehnt das Fahrrad an den Zaun und tritt nach kurzem Zögern durch das offene Tor. Dann marschiert er entschlossen auf die Haustür zu, die im selben Augenblick geöffnet wird. Enna kommt heraus, als hätte sie auf ihn gewartet. Nur ein langes T-Shirt hat sie an. Mit bloßen Füßen und zerzaustem Haar steht sie da. Wie es scheint, ist sie allein.

Sams drittes Auge blendet alles andere aus, konzentriert sich nur auf ihren Mund, der sich zu einem breiten Lächeln öffnet. So unverblümt strahlt sie ihn an, dass sein Herzschlag aus dem Takt gerät. Er presst den Stein, der nachzugeben scheint.

So ist das also, denkt er.

Ihr Bett hat Ähnlichkeit mit einem Schrank. Ist genauer gesagt eine Koje. Wie in einem Nest fühlt man sich, wenn man darin liegt.

Sam ist hineingekrochen, hat sich neben Enna ausgestreckt, als ob es nichts Besonderes wäre. Wie es dazu kommen konnte, weiß er nicht, es ist einfach so passiert. Sein Herz schlägt heftig gegen seine Rippen und er wagt kaum, sich zu bewegen. Bei dem Gedanken, Enna zu berühren, steigt eine Höllenhitze in ihm auf.

Genauso ruhig wie er liegt auch sie auf dem Rücken, ihr Gesicht ihm zugewandt. So aus der Nähe wirken ihre Augen dunkler, größer. Er entdeckt winzig kleine braune Sprenkel in dem hellen Blau.

„Was ist los?", fragt sie.

Sam schluckt. Eine Flut von Worten steckt in ihm fest. Er hat Angst, sie rauszulassen. Angst, dass er darin untergehen könnte.

„Ich weiß nicht", sagt er heiser. „Es ist einfach viel … zu viel im Augenblick für mich!"

Enna legt ihre Hand auf seinen Arm. Der sanfte Druck ihrer Finger löst einen Strom von Wärme aus. Es tut gut – und weh, Sam weiß nicht, warum. Und als die Fingerspitzen sich bewegen, den Arm hinauf, so ungeheuer sacht, dass nur ein Hauch auf der Haut zu spüren ist, stöhnt er unwillkürlich, murmelt leise „Enna" und rückt plötzlich dicht an sie heran. Es ist das erste Mal, dass er ein Mädchen küsst, weil er gar nicht anders kann. Und es fühlt sich absolut richtig an. Ennas Lippen saugen sich an seinen fest, gehen langsam auf und nehmen seine mit, ihre Zungenspitze sucht nach seiner, zart und sehr lebendig, bis er endlich reagiert. Für einen kurzen Augenblick lassen sie einander los, aber nur, um Luft zu holen, dann finden sie sich wieder, kosten ihre Küsse aus.

Sam wird mutiger, weil er fühlt, Enna ist mit allem einverstanden, was er tut. Seine Hand streichelt ihren Rücken, seine Finger wagen sich in unter ihr Shirt, in die Nähe ihrer Brust. Nur in die Nähe, weil es sonst zu viel gewesen wäre. Wahrscheinlich geht das alles sowieso zu schnell, ist aber nicht mehr aufzuhalten.

Sehr viel später, Sam hat jedes Zeitgefühl verloren, richtet Enna sich auf. „Ich hol uns was zu trinken", sagt sie. „Bleib einfach liegen, wenn du willst!"

Natürlich will er. Er will überhaupt nicht mehr von hier weg. Schon während er sie durch die Tür gehen sieht, fängt er an, sie zu vermissen. Völlig aufgeweicht liegt er da, hört etwas klappern, Wasser rauschen, dann Enna, die ein Lied anstimmt. Beim Singen klingt ihre Stimme überraschend tief.

Was, wenn plötzlich ihre Mutter wiederkommt? Der Gedanke scheint Enna keinen Kopf zu machen. Sie lässt sich jede Menge Zeit da draußen, während er in ihrem Bett auf sie wartet. Sie noch riechen kann. Wahrscheinlich rechnet sie noch nicht mit ihrer Mutter. Oder hat kein Problem damit, erwischt zu werden. Erwischt? Dieses Wort scheint nicht zu passen. Es würde ja bedeuten, dass sie etwas Falsches tun. Und mit Enna kann man überhaupt nichts Falsches tun. Dazu ist sie viel zu klar und echt.

Sam versucht sich zu entspannen. Er leckt ein paarmal über seine Lippen, die vom Küssen spröde sind. Plötzlich hat er einen Riesendurst, sehnt sich auch nach neuen Küssen. Als Enna endlich aus der Küche kommt, hält sie zwei große Gläser in den Händen.

„Zitronenlimonade", strahlt sie. „Selbst gemacht."

Zu Hause, denkt er. So müsste es zu Hause sein. Seine Brust zieht sich zusammen.

„Es ist wegen meiner Mutter", sagt er plötzlich ohne Übergang. „Ihretwegen sind wir hierhergezogen. Mum ist … nicht in Ordnung. Etwas quält sie schon sehr lange, macht sie innen ganz kaputt. Enna …" Wie soll er bloß erklären, was ihm so zentnerschwer auf dem Herzen liegt? „… ich habe Angst, dass sie verrückt wird. Es vielleicht sogar schon ist."

„Hier, trink erst mal!" Enna reicht ihm eins der Gläser, setzt sich neben ihn und fasst mit ihrer frei gewordenen Hand nach seiner. Drückt sie fest.

Sam würgt den dicken Kloß hinunter, der plötzlich seinen Hals blockiert, kippt Zitronenlimonade hinterher. Sie ist kühl, schmeckt ziemlich sauer und brennt ein bisschen auf den wunden Lippen. Enna trinkt in kleinen Schlucken und hält weiter seine Hand.

„Wie kommst du denn auf die Idee, dass sie verrückt sein könnte?"

Stockend fängt er an zu erzählen. Zuerst von der Kaufhaussache, die der Grund für den Umzug auf die Insel war. Dann von früher, als seine Mutter beinah jede Nacht geschrien hat. Er erklärt, dass sie niemanden an sich heranlässt, jedenfalls nicht wirklich, und immer wieder Albträume hat.

„Ich habe das Gefühl, sie ist meistens überhaupt nicht richtig da."

„Woher kommt sie eigentlich?", will Enna wissen.

„Aus Afrika ... Ruanda, einem kleinen Land mittendrin."

„Kann es sein, dass sie Heimweh hat?"

Heftig schüttelt er den Kopf. „Afrika ist total tabu für sie."

„Hast du sie denn nie danach gefragt?"

„Natürlich hab ich das! Früher jedenfalls. Ziemlich oft sogar. Sie ist mir aber ständig ausgewichen. Und irgendwann hat Dad es mir verboten. Er sagt, wir müssen warten, bis sie so weit ist, dass sie von sich aus reden will."

Enna nickt. „Das muss schwer für dich sein."

Er stellt das leere Glas auf den Boden und lässt sich in die Kissen sinken. „Als ich noch klein war, hat sie mich keinen Augenblick allein gelassen. Sie hatte immer Angst um mich. Auf dem Spielplatz saß sie stundenlang auf der Bank und schaute mir beim Spielen zu. Wenn andere Mütter sich zu ihr setzten, weil sie mit ihr reden wollten, war sie immer freundlich, aber so distanziert, dass die anderen es nach kurzer Zeit einfach aufgegeben haben."

„Hatte sie denn in Hamburg keine Freunde, mit denen sie was unternommen hat?"

Sam schüttelt den Kopf. „Einen Nähkurs hat sie eine Zeit lang mal besucht und danach zu Hause wie verrückt genäht. Sie liest auch viel. Auf Englisch, Deutsch, Französisch. Alles mühelos. Aber sonst ..."

Enna legt sich wieder neben ihn, schmiegt ihren Kopf an seine Schulter. „Und was ist mit dir? Vermisst du Hamburg?"

Er umklammert sie mit einer Heftigkeit, die ihn selbst erschreckt. Auch das kann eine Antwort sein.

„Enna!", kommt ein Ruf von draußen. Es klingt sehr gereizt.

Sam fährt hoch. Das kann nur Ennas Mutter sein! Ausgerechnet jetzt. Schritte nähern sich energisch, poltern durch die Küche, sind fast da. Er macht, dass er so schnell wie möglich aus dem Bett kommt.

„Wo steckst du, Enna? Die Ziegen sind noch nicht gemolken. Mona Lisas Euter platzt!"

„Verdammt, das hab ich ganz vergessen!" Enna kriecht nun auch aus dem Bett.

Als die Tür aufgeht, steht Sam etwas atemlos neben ihr und wünscht sich, meilenweit weg zu sein.

Ennas Mutter stockt. Sie schwitzt, ihr dünnes Haar klebt feucht am Kopf. Wie eine Bauersfrau, die gerade von der Arbeit kommt, sieht sie aus. Ihr breiter Körper ist in ein langes braunes Schlabberkleid gehüllt.

„Du bist also Sam", stellt sie fest und mustert ihn mit klarem, wachem Röntgenblick. „Enna hat mir schon von dir erzählt. Willkommen hier in unserem Hexenhaus. Du kannst Helen zu mir sagen und, wenn du Lust hast, nachher mit uns essen." Seine Antwort wartet sie nicht ab, sondern wendet sich an Enna. „Du hast Besuch, also übernehme ich die Ziegen heute. Aber sag mir bitte nächstes Mal Bescheid!"

Von Munyemana lernte ich das Spiel mit den fünf Steinen, die man nacheinander in die Luft wirft und dann alle wieder fangen muss. Jedes Mal einen mehr. Erinnerst du dich noch?

Wir spielten es mit Nachbarkindern um die Wette. Wer gewann, durfte sich von den anderen etwas wünschen. Das aber war es nicht, was mich daran reizte.

Wie soll ich es erklären? Die Steine faszinierten mich … ich ging in ihnen auf, als wäre ich ein Teil davon. Wenn ich mit Argusaugen ihren Flug verfolgte, um genau im richtigen Moment zuzugreifen, konzentrierte ich mich so darauf, dass ich ganz vergaß, wo und wer ich war und … alles andere auch.

VIER

Sehnsucht breitet sich zwischen ihnen aus, und das ausgerechnet in der Schule, wo sie wirklich nichts zu suchen hat. Der ganzen Vormittag hält sie Sam in ihren Fängen. Wirbelt Zahlen und Vokabeln auf, setzt Formeln und Tabellen außer Kraft treibt die Gedanken vor sich her. Als es endlich klingelt, stopft er schnell seine Sachen in den Rucksack.

„Komm, lass uns was zusammen machen!", flüstert er Enna zu

„Okay. Wir treffen uns gleich am Dünenweg".

Zwischen den Fronten – Ennas kleinem Dorf und Sams Ferienhaus – steuern sie das Meer an, den Strand und die Dünen klettern auf verbotenen Pfaden bis zu den Graskämmen hinauf wo sie eine Mulde finden, gerade groß genug für sie beide.

Wenig später liegen sie, ihre Rucksäcke in den Nacken geschoben, sehr nah beieinander. Die Sonne knallt in die Kuhle heizt sie auf. Winzige Schweißperlen sammeln sich auf Ennas Nasenspitze. Sam tupft sie mit dem Zeigefinger weg.

„Warum bist du vorhin in der Pause abgehauen?"

„Ist doch überflüssig, dass es alle merken."

„Und wie soll das gehen? Willst du dich die ganze Zeit verstellen?"

„Kann schon sein … Wenn es alle wissen, wirst du nur mit reingezogen."

„Mit reingezogen? Wovon redest du?"

„Von mir und meiner Mutter."

„So ein Stuss! Und wenn, wäre mir das auch egal."

„Mir aber nicht."

„Na, hör mal, was soll es denn bringen, ein Geheimnis draus

zu machen? Wahrscheinlich wissen es die anderen sowieso. Und was euch betrifft, ich meine, dich und deine Mutter … irgendwann geben sie schon auf."

„Irgendwann ist genauso gut wie nie. Du kannst sicher sein, ich weiß Bescheid."

„Ach Enna, halt mal kurz den Mund!"

Er beugt sich über sie, presst seine Lippen fest auf ihre. Als er lockerlässt, schnappt sie nach Luft und redet weiter. „Und willst du noch was hören?! Ich möchte nicht, dass du …"

„Halt die Klappe, Enna!"

Wieder bringt er sie zum Schweigen, lässt nicht los, bis sie endlich nachgibt, ihre Lippen öffnet, diesmal aber nicht, um zu reden. Danach sind sie eine Weile still.

„Sam, ich mag dich sehr", seufzt Enna schließlich.

„Ich dich noch viel mehr. Gewonnen!"

Sie kichert. „Du bist verrückt. Sag mal, stört es dich denn gar nicht, wie ich bin?"

„Du bist toll!"

„Und du viel toller. Gewonnen!"

Enna setzt sich auf, zieht ihre Jacke aus und streift den Pulli ab. Darunter trägt sie nur ein dünnes Shirt, in dem sich deutlich ihre Brüste zeigen. Unbekümmert lehnt sie sich zurück, die Ellenbogen in den Sand gebohrt.

Sam fängt an zu schwitzen. Er blinzelt in die Sonne, vor deren Strahlen sich der Schatten einer Möwe schiebt. Im Tiefflug und mit weit gespreizten Flügeln kreist sie über ihnen. Vielleicht ahnt sie ja, dass in seinem Rucksack noch die Reste seines Frühstücks stecken.

„Was ist eigentlich mit deinem Vater?", fragt er.

„Keine Ahnung. Der hat sich von uns abgesetzt, bevor ich auf die Welt gekommen bin, und sich nie wieder blicken lassen."

„Du kennst ihn überhaupt nicht?"

„Nicht persönlich jedenfalls. Ich hab ein altes Foto, also weiß ich, wie er aussieht, und ein bisschen auch, wie er war oder ist. Ein netter Typ, behauptet meine Mutter, aber nichts für ein Zusammenleben. Ein schräger Vogel, den man besser fliegen lässt, weil er sonst nur Ärger macht. So ungefähr hat sie sich ausgedrückt."

„Dann wart ihr also immer nur zu zweit?"

„Eigentlich schon. Zwar sind ab und zu ein paar Randfiguren aufgetaucht, aber nichts von Dauer."

„Und wie bist du damit klargekommen?"

„Es ist so, wie es ist." Sie grinst. „Außerdem, Helen reicht für zwei. Mindestens! Noch mehr Power wäre gar nicht auszuhalten."

„Aber ihr versteht euch, oder?"

„Klar, wir sind ein gutes Team. Helen hat mich schon als kleines Kind ziemlich ernst genommen. Sie erwartet viel von mir, lässt mir aber auch jede Menge Freiheit. Mischt sich nie in meine Angelegenheiten ein. Nur in Sachen Schule ist sie pingelig."

„Hört sich gut an, fast perfekt."

„Ja, ich kann nicht meckern. Abgesehen davon, dass wir nirgendwo besonders lange bleiben, was mir ziemlich auf den Wecker geht. Jedes Mal, wenn wir uns wieder mal ,verändern', wie meine Mutter es so gern formuliert, fängt der ganze Mist von vorne an. ,Es ist Zeit, dass wir uns verändern, Enna' … Von wegen! Blöde Zicken wie Nadine gibt es überall."

Sam würde gern seine Hand ausstrecken, Enna streicheln und sie fühlen lassen, dass Zicken überhaupt nicht zählen. Jedenfalls nicht für ihn. Doch sie springt auf.

„Mann, mir ist wirklich heiß! Komm mit ans Meer, die Füße in die Brandung stecken!"

Felicitas bedeutet „Glück". Auf Felicitas wurde ich getauft. Im Namen Christi und Europas.

Es ist schon eigenartig, wie viele Namen uns mit auf den Weg gegeben werden.

Felicitas Nkulikiyinka. So stand es früher mal in meinem Pass.

„Das Glück, das der Kuh hinterherläuft."

Klingt doch verrückt, findest du nicht auch?

Drei Namen, drei Bestimmungen, die andere für mich vorgesehen hatten. Wer aber war oder bin dann ich?

Wenn „ich" bedeutet, dass du dich als eine eigene Größe in der Welt empfinden kannst, dann war Inyana „ich" und die anderen beiden nur ihr Schatten.

Und noch ein vierter Name kam dazu, der auch in unserem Pass stand, amtlich überprüft und besiegelt. Der Name, der aus mir eine „solche" machte.

Als sie begannen, ihren großen Tötungsplan in die Tat umzusetzen, half der Eintrag ihnen, alle, die vernichtet werden sollten, mühelos zu erfassen. Nur ein kurzer Blick in den Pass und das Todesurteil war gefällt.

Heute ist es anders. Der vierte Name ist gelöscht, soll sogar nach Möglichkeit verschwiegen werden. Heute gilt nur noch die Nationalität. So ist es angeordnet von ganz oben. Versöhnung – das versteht sich – inbegriffen.

Aber wer, das wird man ja wohl fragen dürfen, soll sich denn mit wem versöhnen? Und wie, ich bitte dich, sollen wir so tun, als wüssten wir nicht, wer wir sind? Es steht zwar nicht in unserem Pass, doch nach allem, was geschehen ist, noch immer auf unsere Stirn geschrieben.

Erst nachmittags kehrt Sam zurück. Das Gesicht erhitzt, die Hosenbeine seiner Jeans durchnässt, auf den Lippen Salzgeschmack. Sandkörner reiben sich zwischen seinen Zehen. Als er seine Eltern draußen in der Sonne sitzen sieht – sein Vater hat die Inselzeitung vor sich ausgebreitet, seine Mutter starrt verloren in die Sonne – fällt Sam ein, dass heute Mittwoch ist, die Praxis nachmittags geschlossen. Wahrscheinlich haben Mum und Dad auf ihn gewartet, sich gefragt, wo er so lange steckt.

„Hi!"

Er bleibt stehen, ohne sich zu nähern. Irgendwelche Vorhaltungen oder auch nur Fragen kann er jetzt auf keinen Fall gebrauchen. Was er fühlt, möchte er für sich behalten, den Nachgeschmack noch eine Weile ungestört genießen. Dieses unbeschwerte Glück, das ihn erfüllt. Wenn er jetzt zu seinen Eltern geht, ist es schnell verpufft, das weiß er ganz genau.

„Schön, dass du wieder da bist!", sagt sein Vater. „Setz dich doch! Ich würde gern etwas mit euch besprechen."

Sam ist verblüfft. *Euch* hat Dad gesagt, also geht es nicht um ihn und seine Trödelei, sondern offenbar um etwas Wichtiges.

„Gleich", nuschelt er, „muss eben noch was für die Schule tun!" Das stimmt sogar. Er soll einen Aufsatz schreiben, was ihm allerdings in diesem Augenblick nur als Vorwand dient, sich zurückzuziehen. Erst mal Zeit gewinnen und die innere Uhr umstellen, damit er nachher angemessen reagieren kann! Etwas in der Stimme seines Vaters hat ihn alarmiert.

In hohem Bogen schleudert er seinen Rucksack in sein Zimmer, läuft ins Bad, lässt kaltes Wasser in die hohlen Hände laufen und schaufelt es sich ins Gesicht. Seine Haut brennt. Von zu viel Sonne und von Enna … Eine ganze Ladung Wasser braucht er, bis ein halbwegs kühler Kopf auf seinen Schultern sitzt.

Nach einem kurzen prüfenden Blick in den Spiegel geht er in sein Zimmer, um seinen Laptop einzuschalten.

Im Deutschunterricht haben sie Kleists „Das Erdbeben von Chili" gelesen und bis nächste Woche sollen sie einen eigenen Katastrophentext produzieren. Eine Erzählung oder eine Art Reportage über eine der großen Sturmfluten der Inselgeschichte. Es habe, behauptet Pitzow, einige wirklich verheerende gegeben. Informationen dazu fände man im Internet oder im neuen Inselmuseum mit dem Schwerpunkt „Naturgewalten".

Vor dem Hintergrund der Novelle und auch aktueller Katastrophen haben sie im Unterricht heftig diskutiert, ob man als vernünftiger, frei denkender Mensch überhaupt eine Chance hat, sein Leben selbst zu bestimmen.

In der Novelle spielt der Zufall eine große Rolle, die Menschen dort sind ihrem Schicksal völlig ausgeliefert. Bis zum Schluss schlägt es immer wieder blind und unerwartet zu. Sam fand die Handlung spannend, aber, was den Zufall anbetrifft, maßlos übertrieben.

Er entscheidet sich für die Reportage, vergleichbar eine leichte Übung, wie er glaubt. Tatsächlich findet er bei Google auf Anhieb ein paar Quellen, die er nutzen kann. Sturmfluten gab es, wie er einer Übersicht entnimmt, reichlich, im vierzehnten Jahrhundert sogar eine, bei der laut Chroniken über einhunderttausend Menschen umgekommen sein sollen! Diese Seite druckt er aus. Schließlich klickt er noch einige Unwetterfotos aus den letzten Jahren an und überfliegt Berichte von Touristen. Genügend Material, aus dem sich etwas machen lässt.

Er steht auf, bereit, sich in die Höhle des Löwen zu begeben.

Nein, genau kann ich dir nicht sagen, wann es angefangen hat, dass ich mich als eine „solche" fühlte. Als eine, die um alles kämpfen muss, weil sie es nicht verdient, auf der Welt zu sein.

Das, was meinem Vater und Kanama widerfahren war, sah ich nicht im Zusammenhang mit mir. Etwas Grauenvolles war geschehen, ja!, und ich litt darunter jahrelang, doch ich selbst, so dachte ich, hatte eigentlich nichts damit zu tun.

Es hat gedauert, bis mich die Verachtung tief im Inneren erreichte. Schleichend kam sie auf mich zu, und obwohl sie sich nicht immer offen zeigte, spürte ich sie beinah überall. Ich schluckte sie wie eine ekelhafte Speise, von der mir übel wurde, schluckte sie Tag für Tag und das Gift begann in mir zu wirken.

Wie soll ich dir beschreiben, was es mit dir macht, wenn du in den Augen der anderen nur Ungeziefer bist?

Immer sagst du dir, du dürftest gar nicht existieren, und du tust es doch. Und irgendwann, ohne dass es dir bewusst ist, hörst du auf, die zu sein, die du einmal warst.

Es war vernichtend, glaube mir!, als ich erkennen musste, dass ich nichts dagegen machen konnte.

Auf der Terrasse ist inzwischen der Tisch gedeckt. Mum gießt Tee in die Tassen und schiebt Sam, als er sitzt, einen Teller Kekse zu. Er angelt nach den Waffelröllchen, stopft sich eine Handvoll in den Mund und schielt zur Zeitung, die gefaltet auf dem Tisch liegt.

„Wie lange sind wir jetzt schon hier?", eröffnet Dad das Gespräch. Absolut überflüssig diese Frage, auf die er auch noch selbst die Antwort gibt! „Ein Vierteljahr haben wir schon rum, und, wenn ich mich nicht täusche, haben wir uns alle etwas eingelebt …"

In der Pause, die er einlegt, fällt ein schräger Seitenblick auf Sam, der es vorzieht, seinen Mund pausenlos mit Kauen zu beschäftigen, damit er bloß nicht reden muss. Hat sein Vater ihm etwa zugezwinkert?

„Mag ja sein, dass es euch noch zu früh erscheint, doch ich glaube, es wird langsam Zeit für eine Weichenstellung … Also, ich meine … falls wir nach dem Probejahr auf der Insel bleiben wollen …"

Was soll das?!, schießt es Sam durch den Kopf.

„Ein Probejahr bleibt ein Probejahr!", blafft er, Krümel in die Gegend spuckend. „Das haben wir so abgemacht!"

„Ja sicher, daran gibt's auch nichts zu rütteln! Nur … es hat sich da etwas ergeben, worüber ich gern mit euch sprechen möchte."

Sams flache Hand saust auf den Tisch, so heftig, dass es knallt und wehtut, doch sein Vater lässt sich nicht beirren.

„Beruflich, meine ich. Ab nächsten Sommer wird in der orthopädischen Abteilung der Rehaklinik die Chefarztstelle frei. Man ist an mich herangetreten, um zu fragen, ob ich vielleicht Interesse hätte. Das wäre eine Möglichkeit, hier zu arbeiten, ohne Peter direkt Konkurrenz zu machen."

„Moment!" Sam springt auf. „Soll das etwa heißen, dass …?!"

„Es soll gar nichts heißen! Ich will nur wissen, was ihr davon haltet, wenn ich mich bewerben würde. Ihr könnt in aller Ruhe überlegen, es hat Zeit. Mindestens bis Anfang nächsten Jahres." Er wendet sich an Fe. „Was meinst du dazu, meine Liebe?"

Zunächst kommt keine Reaktion, nur dieses ausdruckslose Abwarten, das Sam an seiner Mutter so gut kennt.

Hmm, ja, das sei okay für sie, antwortet sie schließlich ruhig. Wenn Luk sich vorstellen könne, diese Stelle anzunehmen …

Okay? Warum sagt sie nicht, was sie will! Ja oder nein! Ihr Okay klingt nach nichts, höchstens nach ‚Macht doch, was ihr wollt'. Wie oft hat Sam dieses laue Ja oder Ähnliches von ihr gehört? Hat sie überhaupt schon mal gesagt, was sie selbst wirklich will? Er kann sich nicht erinnern.

„Übrigens lebt man hier gefährlich!", schleudert er in die Runde. Ein Teufel reitet ihn, der die glatte Oberfläche sprengen möchte. „Bei diversen Inselkatastrophen sind schon jede Menge Leute umgekommen. Mehr als hunderttausend sogar mal auf einen Schlag!"

Mum zuckt zusammen, ihr Gesicht erstarrt, wird blass, das heißt wässrig grau um die Nase, dann steht sie auf.

Schleppend, so als hätte sie einen Haufen Blei verschluckt, setzt sie sich in Bewegung und verschwindet stumm im Haus.

Ich war gerade zwölf, als ich zum ersten Mal erfahren musste, was es heißt, wenn sie nur deinen vierten Namen gelten lassen, wenn sie überhaupt nicht wissen wollen, wer du sonst noch bist. Und wie gnadenlos das Hassgetriebe funktioniert.

Man hatte mich gerade am Gymnasium angenommen. Die Schule war privat und kostete viel Geld. Nur deshalb hatte ich dort überhaupt eine Chance. Weil nämlich meine Mutter und meine beiden Schwestern dieses Geld für mich verdienten.

Unglaublich, was für eine Ignorantin ich gewesen bin! Ich nahm das, was sie mir ermöglichten, als völlig selbstverständlich hin, dachte keinen Augenblick darüber nach, wie selbstlos sie immer noch „ihr Kind" versorgten. Alle drei! Ich sah nur eins: Ich hatte das erreicht, was ich schon immer wollte, das Gymnasium zu besuchen.

Das, wovon ich dir erzählen will, passierte auf dem Weg dorthin, den ich zu Fuß zurücklegen musste, täglich ein paar Kilometer hin und her. Um die Strecke abzukürzen, lief ich hinter unserem Haus querfeldein und dann vorbei an Häusern, wo die anderen wohnten. Auch dabei dachte ich mir nichts.

Beim dritten oder vierten Mal lauerten sie mir hinter einer Hecke auf. Sehr früh am Morgen war es noch und niemand außer mir und ihnen hielt sich draußen auf.

Drei Jungen tauchten plötzlich auf und verstellten mir den Weg. Zwei von ihnen älter, einer jünger als ich selbst. Ich war überrascht, hatte aber keine Angst. Soll ich dir was sagen? Ich fühlte mich ihnen sogar überlegen!

„Was soll das?", fauchte ich. „Ich muss zur Schule!"

„Zur Schule?!", höhnte einer der Älteren. Er trug eine Sonnenbrille. „Was will so eine denn in der Schule?"

Er machte einen Satz an mir vorbei, um mich von hinten in den Würgegriff zu nehmen. Die anderen beiden warteten nicht lange, streckten ihre Hände aus und fingen an, mich anzufassen.

„Lasst das!", schrie ich.

Ja, stell dir vor, ich schrie sie an, als ob sie Ohren hätten, die mich hören würden.

Der Druck auf meinen Hals verstärkte sich. Die Hände wurden immer unverschämter, kniffen und berührten mich an Stellen, die verboten sind, steckten sogar ihre Finger in die Öffnung meiner Bluse. Der mich umklammert hielt, keuchte dicht an meinem Ohr.

Genau in dem Moment wurde ich zu einem Teil des Getriebes. Ich hörte auf zu denken, hörte auf, ich selbst zu sein. Trat mit aller Wucht nach vorn und nach hinten, blind vor Hass und Wut und Angst. Als mein Fuß auf etwas Weiches stieß, hörte ich einen schrillen Schrei, sah, wie vor mir der, den ich getroffen hatte, sich vor Schmerzen krümmte und zu Boden sackte, fühlte, wie sich mit einem Ruck der Würgegriff etwas lockerte.

Die Sekunde nutzte ich, tauchte ab und raste los. Ohne Richtung, nur getrieben vom Verlangen wegzukommen.

Und rennen konnte ich, wie du ja schon weißt.

Eine Stunde später ist Sam wieder auf dem Weg zu Enna, die kein Internet hat. Er hat ein paar Seiten über Sturmfluten ausgedruckt, um sie ihr zu bringen. Obwohl sie ihn nicht darum gebeten hat. Und das Material vielleicht auch gar nicht braucht. Genau genommen ist er es, der es braucht. Als Vorwand, weil er Enna sehen will, obwohl er schon den halben Tag mit ihr verbracht hat. Nur in ihrer Nähe will er sein. Damit er sich wieder besser fühlen kann ... Selbst wenn er ihr beim Ziegenmelken helfen oder auf der Bank in der Küche sitzen muss, während sie etwas anderes macht.

Zu Hause hat er es nicht ausgehalten.

Wie denn auch? Mit einer Wand vor der Nase, hinter der jemand verschwunden ist, dem es offensichtlich miserabel geht. Und er, Sam, ist auch noch schuld daran. Hätte er doch bloß den Mund gehalten! Aber immer kann er das einfach nicht. Was verlangen sie von ihm? Sein Vater fällt mal wieder mit der Tür ins Haus, hält sich einfach nicht an das, was abgesprochen war. Außerdem, wer kann schon ahnen, dass ein kleiner Satz über eine Inselkatastrophe seine Mutter derart aus der Fassung bringen würde? Bis oben hin hat er es satt, sich ständig dünnzumachen, um nicht anzuecken.

Draußen hat es sich merklich abgekühlt. Von der letzten Wärme dieses Tages ist nichts mehr übrig. Sam fröstelt, spürt, wie seine Wut verraucht, zu einem grauen Haufen Frust zusammenschrumpft. Und als er das kleine Haus in mildem Dämmerlicht vor sich liegen sieht, geht es ihm sofort viel besser. Doch dann stellt er mit Befremden fest, dass neben Helens Vespa ein rotes Auto vor dem Garten parkt. Es scheint Besuch da zu sein.

Enna öffnet ihm, allerdings fällt die Begrüßung nicht so aus, wie er es erwartet hat. Im Gegenteil. Sie scheint alles andere als erfreut zu sein. Wie ein Wachhund steht sie auf der Schwelle, macht den Weg nicht frei, um ihn ins Haus zu lassen.

Sam ist so verblüfft, dass er erst mal gar nichts sagen kann.

„Was willst du?", fragt sie schließlich. „Es ist gerade nicht so günstig."

„Ich …", setzt er an, doch seine Worte bleiben stecken, „also … ich …" Er kramt die Blätter aus dem Rucksack, hält sie Enna stumm vor die Nase.

Sie zieht die Augenbrauen hoch, als frage sie sich, was das soll.

Das reicht! Nach dem Desaster von zu Hause auch noch Enna, die nichts von ihm wissen will. Sam dreht sich um, marschiert in Richtung Gartentor.

„Sam! Warte …"

Er hört ihre Schritte, die ihm eilig folgen.

„Sam!" Sie greift nach seinem Arm. „Bleib doch stehen!"

Gut, dass es schon langsam dunkel wird. Sonst sähe sie, dass seine Augen feucht geworden sind, und das soll sie nicht. Auf keinen Fall. Er blickt an ihr vorbei.

Enna fasst nach seiner Hand. „Tut mir leid! Es ist nur so … ich hatte nicht mit dir gerechnet und … weißt du, es ist nämlich gerade eine Patientin da. Und wenn meine Mutter eine Sitzung hält, will sie nicht, dass irgendwer dazwischenkommt, der die Aura stören könnte. Sie braucht absolute Ruhe. Richtig fuchsig kann sie werden, wenn man sie bei der Arbeit stört."

Es dauert eine Weile, bis die Erklärung bei Sam angekommen ist und er seine Fassung wiederfindet. Trotzdem bleibt er stumm.

„Sam, bitte! Tut mir echt leid."

Als Enna ihn umarmt, lässt er es zu, regt sich jedoch nicht, um die Umarmung zu erwidern. „Schon gut", sagt er. „Schließlich konnte ich nicht wissen …"

„Nein, natürlich nicht! Außerdem … es ist ja auch ziemlich kompliziert."

Er streckt ihr die ausgedruckten Seiten hin. „Übrigens … hier … das wollte ich dir bringen. Vielleicht kannst du es für die Hausarbeit gebrauchen."

Enna stellt sich auf die Zehenspitzen, um Sam einen Kuss zu geben. So viel kleiner ist sie, dass ihre Schulter unter seine Achsel passt.

„Danke, lieb von dir und bitte sei nicht böse, ja? Heute Abend passt es wirklich nicht. Wir sehen uns dann morgen in der Schule. Und auch noch danach, wenn du möchtest …"

„Schon gut", wiederholt er, obwohl er überhaupt nicht meint, dass irgendetwas gut ist.

Ich verlor kein Wort über das, was geschehen war, denn ich schämte mich viel zu sehr, wollte es sofort vergessen. Doch die fremden Hände hatten ihre Spuren hinterlassen und ich ekelte mich vor mir selbst. Außerdem fühlte ich mich schuldig, weil ich es herausgefordert hatte.

Es gab ein Lieblingssprichwort meiner Mutter, das sie bei jeder passenden Gelegenheit zum Besten gab: Das schlechte Wesen kommt nicht zu Gast; man baut ihm ein Haus. Genau das hatte ich getan: ihm ein Haus gebaut. Deshalb wollte ich auf keinen Fall, dass meine Mutter es erfuhr.

Noch lange Zeit danach mied ich Hecken, Mauern oder Ecken, wo im Hinterhalt jemand auf mich lauern konnte. Und ich schlug von nun an immer einen großen Bogen um die Häuser der anderen, weil ich sie als Feindesland betrachtete.

Als Enna längst im Haus verschwunden ist, steht Sam noch am Gartentor und stiert vor sich hin. Er kommt sich ganz schön abserviert vor, obwohl er weiß, dass Enna es bestimmt nicht so gemeint hat.

Was sollte dieser Schwachsinn mit der Aura, die er angeblich stören würde? Er hätte Enna doch einfach leise in ihr Zimmer folgen können, Helen hätte garantiert nichts mitgekriegt …

Stattdessen schleicht er jetzt wie ein Dieb durch fremder Leute Garten, nähert sich geduckt dem Haus. Sein Herz klopft ihm bis zum Hals und er schämt sich, trotzdem kann er es nicht lassen, weil er endlich wissen will, was da drinnen vor sich geht.

Gezielt steuert er das Fenster an, hinter dem ein schwacher Lichtschein schimmert. Da ist Helens Zimmer, wie er weiß, obwohl er es bis jetzt noch nicht betreten hat. Den Rücken an die Wand gepresst, stellt er sich dicht daneben. Der Sims ist nur kniehoch, sodass man unbemerkt in den Raum blicken kann.

Das Licht kommt von einer dicken Kerze, die mitten auf einem runden Holztisch steht. Um die Kerze liegen Steine, bilden einen Kreis. Der Rest des Zimmers ist in Dunkelheit getaucht. Nur umrisshaft sind im Hintergrund Möbelstücke zu erkennen. Leise Musik dringt durch die Scheiben. Sphärenklänge.

Ennas Mutter sitzt am Tisch. Kerzengrade, die Hände ausgestreckt, ihre Fingerspitzen berühren zwei der Steine leicht. Sie trägt ein weißes Kleid oder eher ein Gewand. Ihr gegenüber sitzt eine Frau in der gleichen Position. Das Licht der Kerze bricht sich an den Glitzersteinen ihrer Ringe. Beide Frauen rühren sich nicht. Ihre Augen sind geschlossen, die Gesichter ganz gelöst, als ob sie etwas Angenehmes träumten. Irgendwie strahlt dieses Bild eine große Ruhe aus. Gespannt wartet Sam auf das, was passieren wird. Etwas Ungewöhnliches, Dramatisches …

Er wartet. Fünf Minuten? Zehn?

Weil auch er sich keinen Millimeter von der Stelle rührt, schlafen seine Beine langsam ein. Außerdem wird ihm kalt. Und dann stellt er fest, dass er pinkeln muss. Als er gerade im Begriff ist, seinen Posten zu verlassen, schlägt Helen plötzlich die Augen auf und sagt etwas, was auch die andere Frau aus ihren Träumen holt. Dann fängt die Fremde an zu sprechen und Helen hört ihr zu.

Sam harrt aus, in der Hoffnung, dass sich endlich etwas tut. Doch die Frau redet nur, redet eine Ewigkeit, wie ihm scheint, dann stehen beide auf, die Fremde wühlt in ihrer Tasche und zieht ihr Portemonnaie hervor.

Wie ein Schock schießt es Sam in die Glieder: Sie will gehen, wird das Haus im nächsten Augenblick verlassen! Er ist drauf und dran loszusprinten, bremst sich aber gerade noch und schleicht geduckt zum Tor zurück. Erst, als er auf dem Fahrrad sitzt, gibt er richtig Gas, rast den Weg hinunter bis zum Deich, wo er keuchend anhält, um zu pinkeln.

Sofort danach steigt er wieder auf und radelt, nun nicht mehr ganz so schnell, aber ohne Licht durch die Dunkelheit. Allmählich geht sein Atem ruhiger, trotzdem fühlt er sich alles andere als erleichtert. Wie soll er Enna morgen bloß in die Augen sehen? Als Spanner, der versucht hat, ihre Mutter auszuspionieren …

Nein, für Jungen habe ich mich lange überhaupt nicht interessiert, jedenfalls nicht so … du weißt schon, wie ich meine.

Munyemana war mein bester Freund, ich liebte ihn wie einen Bruder. Doch als ich ins Gymnasium kam, verloren wir uns aus den Augen. Es lag an ihm, nicht an mir. Er ging mir aus dem Weg, wollte allem Anschein nach nicht mehr mit mir gesehen werden.

Zur selben Zeit, als das mit den anderen passierte, zog er sich zurück. Und obwohl er von der Sache keine Ahnung haben konnte, war ich felsenfest überzeugt, sie sei der Grund dafür, dass er mich so plötzlich mied. Was hatte er sonst gegen mich? Vielleicht sah man mir ja an, dass ich durch den Dreck gezogen worden war. Oder Munyemana wollte mit „so einer" nicht befreundet sein. Zwar gehörte er selbst zu uns, doch womöglich tat er alles, um es zu verbergen.

Ich vermisste ihn. Ja, ich war schrecklich einsam ohne ihn.

FÜNF

Wenn du landeinwärts, ganz im Inneren der Insel bist und plötzlich Salz auf den Lippen schmeckst, dann ist der Blanke Hans unterwegs. Dann ist Orkan angesagt! Irgendwer hat das behauptet, wahrscheinlich Helen oder Enna.

Sam schmeckt jetzt Salz auf den Lippen, während er sein Fahrrad gegen einen starken Wind aus dem Schultor schiebt.

Seit Tagen hat der Herbstwind mächtig aufgedreht, so sehr, dass Sam in dieser Nacht sogar ein paarmal wach geworden ist. Sturmböen tobten rund ums Haus, pfiffen, heulten, warfen Gartenmöbel um. Auf der Insel hat der Wind eine Stimme, die nicht zu überhören ist.

Sam ist auf dem Weg zum Meer, zum Dünenaufgang, wo er und Enna sich inzwischen beinah täglich nach der Schule treffen. Zeitversetzt, weil Enna immer noch darauf besteht, dass die anderen es nicht merken sollen. Und heute wollte sie vorher kurz nach Hause, um Jona zu holen und die anderen Tiere zu versorgen. Ihre Mutter ist nicht da.

Einen Orkan, wie er zu erwarten ist, hat Sam noch nicht erlebt. Ihm wird mulmig, wenn er daran denkt. Aber Enna meint, so ein Schauspiel dürfe man sich nicht entgehen lassen.

Nach der unruhigen Nacht hatte der Tag sonnig begonnen, fast ohne Wind sogar. Ganz plötzlich jedoch, während sie gerade über einer Mathearbeit brüteten, waren dunkle Wolken über den Himmel gezogen, die sich innerhalb kürzester Zeit zu einer schwarzen Wand verdichtet hatten.

Unter den ersten Sturmböen reißt die Wand nun auf, die Wolkenmasse beginnt auseinanderzudriften und einzelne Fetzen werden von heftigen Windattacken über den Himmel gejagt. Sam zieht die Kapuze seiner Regenjacke über beide Ohren, durch die der Wind so pfeift, dass es wehtut. Er hofft, dass Enna sich beeilt. Ihr Versteckspiel findet er allmählich albern, nachdem es längst ein offenes Geheimnis ist, dass er und sie zusammen sind.

Vor zwei Wochen hatte Nadine ihre Drohung wahr gemacht und die im Schulhof geknipsten Handyfotos zu einem Bild montiert, um sie über ihre Facebookseite in alle Welt zu posten: Enna im leuchtend gelben Friesenfrack und Sam direkt neben ihr, beide Hände vors Gesicht geschlagen. *Blind Date* stand darunter.

Nadines Aktion war an Sam abgeprallt, deshalb hatte er auch Enna nichts davon gesagt. Er hatte überhaupt nicht darauf reagiert. Und Enna selbst, ohne Internet, konnte ja nicht reagieren, weil sie nichts davon wusste. Für Nadine ein Schuss ins Leere also, was sie ihrerseits nicht ahnen konnte. Amüsiert hatte Sam beobachtet, wie sie und ihre Fangemeinde vergeblich darauf lauerten, dass er oder Enna sich aus der Reserve locken ließen.

Die ganze Sache war nach kurzer Zeit im Sand verlaufen. Und auch die Fronten schienen langsam aufzubrechen. Wahrscheinlich würde sich der Zickenkrieg irgendwann von selbst erledigen. Schließlich waren ja nicht alle in der Klasse blind oder blöd.

Sam lauscht dem Schlag der Wellen hinter sich. Obwohl das Meer nicht zu sehen ist, brüllt es so gewaltig, als stünde er mittendrin. Die Nordsee tost und schluckt alle anderen Geräusche, nur hin und wieder vom Geschrei der Möwen übertönt, die unerschrocken ihre Kreise ziehen.

Da endlich taucht auch Enna auf, kämpft sich mühsam durch die Böen, während Jona ihr vorausjagt, als ob der Wind kein Widersacher wäre. Ein dürrer schwarzer Teufel, den der Sturm nicht fassen kann.

„Komm mit da rauf!", ruft Enna und stapft an Sam vorbei.

Als er ihr folgt, drückt der Wind gegen seine Schultern, drängt ihn mit aller Kraft zurück. Enna aber ist nicht aufzuhalten. Oben angekommen, breitet sie beide Arme aus und stemmt sich so dem Wind entgegen, der an ihren Haaren reißt.

In sprühenden Gischtkronen wirft sich die See an Land. Weiter draußen türmen sich Monsterwellen auf, rollen donnernd auf die Küste zu. Ihre Kämme überbrechen sich, hinterlassen riesige weiße Schaumflächen auf dem Strand, der von den Wassermassen überspült wird. Mit aller Macht greift die See die Dünen an. Kein Horizont zu sehen. Himmel und Erde fließen ineinander.

„Mann!", schreit Enna. „Ist das stark!"

Sam packt ihre Hand. Die gischtdurchtränkte Luft schlägt ihm ins Gesicht.

Es ist gigantisch!

Als ich Munyemana ein paar Jahre später wiedertraf – es war kurz vor meinem Schulabschluss und ich war ungefähr so alt wie du jetzt –, hatte er sich sehr verändert. Groß und schlank war er und in seinem Anzug wirkte er wie ein Mann.

Ich traf ihn auf der Hochzeit meiner Schwester Umehire, wo er die ganze Zeit in der Männerecke stand und kaum Notiz von mir nahm. Einmal winkte er lässig mit der Hand und das war's.

Inzwischen ahnte ich, wie es ist, wenn man sich verliebt. Das Leuchten in Umehires Augen und ihr fast schwebender Gang, wenn sie von einem Rendezvous mit ihrem Theodore wiederkam, verrieten mir, wie wunderbar man sich dabei fühlen musste.

Übrigens, dieses Leuchten in den Augen habe ich auch schon bei dir gesehen. Aber ja, du brauchst es gar nicht abzustreiten, ich bin doch nicht blind!

Umehires Hochzeit werde ich niemals vergessen. Gerade, weil es Umehire nicht mehr gibt. Auch Theodore nicht und ihre beiden süßen Kinder Eduard und Cecile. Auch nicht Munyemana, der nicht mich, sondern eine andere geheiratet hat. Meine Mutter, meine Schwester Ingabire und die meisten Hochzeitsgäste. Sie alle wurden ausgelöscht.

Heute denke ich manchmal, dass dieser Tag alles vereinte, was ein ganzes Menschenleben in sich birgt. Größtes Glück ebenso wie Verzicht und Traurigkeit. Ja, angesichts des schlimmen Endes kommt es mir so vor, als ob Umehires Hochzeitstag im Kern das ganze Leben war.

Meine Mutter strahlte, platzte fast vor Stolz. So froh und ausgelassen hatte ich sie lange nicht gesehen.

Und Umehire war das Glück in Person!

Auf dem Höhepunkt des Festes, als Theodore ihr, der Tradition gemäß, als Brautgeschenk zwei prachtvoll geschmückte Kühe überbrachte, kam der Moment, in dem ich heimlich weinte.

Ich musste an Kanama denken, daran, wie ich sie verloren hatte, und eine alte Wunde riss wieder auf. Und plötzlich wünschte ich mir mehr als alles andere, dass Munyemana zu mir kommen, mit mir tanzen, mich berühren würde.

Doch er hielt sich fern.

„Sam, wach auf!"

Von ganz weit her kommt dieser Ruf.

„Sam!"

Es ist Dad und seine Stimme hat einen Unterton, der Sam augenblicklich aus dem Traum reißt, in dem er Enna so nah wie nie zuvor gewesen war. Angestrengt sperrt er die Augen auf.

Dad hat die Deckenlampe angeschaltet. Im Mantel, der vor Nässe trieft, steht er an der Tür. Vor dem Fenster herrscht absolute Dunkelheit, der Sturm peitscht Regengüsse an die Scheiben.

„Was ist los? Wie spät ist es?", fragt Sam verwirrt.

„Sam, wo ist Fe? Hast du sie gesehen? Sie ist nicht in ihrem Zimmer!"

Sam dämmert, dass nicht Morgen, sondern Abend ist und er den Rest des Nachmittags verschlafen hat. Als er gegen vier nass bis auf die Haut und erschöpft vom Kampf mit dem Wind zurückgekommen war, hatte er sich sofort ausgezogen und ins Bett verkrochen. Kurz darauf war er eingeschlafen.

„Sam, war Fe noch da, als du aus der Schule kamst? Hast du irgendeine Ahnung, wo sie hingegangen sein könnte?"

„Nein, ich habe sie nicht gesehen. Ich dachte, sie macht wie immer ihren Mittagsschlaf …"

„Los, steh auf! Wir suchen sie!"

Drei Minuten später steht Sam neben seinem Vater, der mit einer großen Taschenlampe in der Hand an der Haustür auf ihn wartet. Wortlos treten sie nach draußen, wo sie dem anhaltenden Sturm und Regen erneut ausgeliefert sind.

„Zuerst zum Strand!", fordert Dad mit gepresster Stimme. „Obwohl …"

Er führt den Satz nicht zu Ende, aber Sam weiß trotzdem, was er denkt. Mum bei diesem Wetter und vor allem in der Dunkelheit noch am Strand? Unvorstellbar, denn im Dunkeln geht sie nie allein aus dem Haus!

„Vielleicht ist sie ja schon morgens losgegangen und der Sturm hat sie überrascht. Dann hat sie sich bestimmt irgendwo in Sicherheit gebracht!", sagt Sam, ohne selbst daran zu glauben. Fe irgendwo bei fremden Leuten? Fast genauso unvorstellbar! Er hat Angst. Und Gewissensbisse! Hätte er doch bloß nach seiner Mutter geschaut, als er nachmittags vom Strand zurückkam!

Dad hastet los in Richtung Meer, und während Sam versucht, stolpernd mit ihm Schritt zu halten, überschlagen sich seine Gedanken: Mum, wie sie ziellos durch ein Kaufhaus irrt, total durcheinander … ihr Entsetzen, als er von der Inselkatastrophe sprach ... ihre namenlose Furcht vor Wasser ... ihre nächtlichen Schreie. Plötzlich fühlt er sich so klein und hilflos wie in jener Nacht, als er zum ersten Mal von ihren Schreien wach geworden war.

„Dad! Warte mal! Den Strand können wir vergessen, der steht völlig unter Wasser, ich war heute da."

Schwer atmend bleibt sein Vater stehen, knipst die Taschenlampe an. Das Licht fällt fahl auf sein Gesicht, über das der Regen strömt. Seine wenigen Haare pappen ihm am Kopf.

„Du hast recht", sagt er gepresst. „Am besten wenden wir uns gleich an die Wasserschutzpolizei. Denn falls Fe etwas zugestoßen ist ..."

Auch diesen Satz führt er nicht zu Ende und Sam möchte ihn auf keinen Fall weiterdenken.

Nach der Hochzeit ging mir Munyemana nicht mehr aus dem Sinn, ich sehnte mich nach ihm, unaufhörlich, und begann sogar zu planen, wie ich ihn für mich gewinnen wollte. Nicht ahnend, dass er längst vergeben war.

Als ich ihn zum ersten Mal mit seiner Freundin sah, wusste ich, dass ich verloren hatte. Es kränkte mich gewaltig, doch ich hatte meinen Stolz und redete mir ein, er hätte mich auch nicht verdient. Statt ihm allzu lange nachzutrauern, fing ich an, andere Pläne in den Vordergrund zu schieben.

Schon während meiner Schulzeit hatte ich mir in den Kopf gesetzt, dass ich irgendwann einmal perfekt Englisch lernen wollte, was in Ruanda damals schwierig war. In der Schule sprach man nur Französisch, offiziell die zweite Landessprache. (Übrigens ist es heutzutage Englisch. Ja, so ändern sich die Zeiten!)

Warum ich unbedingt Englisch lernen wollte, kann ich dir nicht genau erklären. Vielleicht lag es an den Jahren mit Elizabeth, an ihren Büchern, die mir eine andere Welt eröffnet hatten, vielleicht aber auch an meiner Eigenart, immer das Besondere zu suchen. Zu meiner Schande muss ich dir gestehen, dass ich ziemlich eingebildet war. Wahrscheinlich glaubte ich sogar, selbst etwas Besonderes zu sein.

Und wieder waren es meine Mutter und meine Schwestern, die mir meinen Traum erfüllten. Die heimlich für ein Ticket nach Europa sparten, das sie mir kurz nach meinem Schulabschluss schenkten.

Ich ging nach London, lebte dort ein Jahr lang als Au-pair, doch die Familie, die mich aufnahm, lag mir nicht besonders und ich fühlte mich nicht wohl. Die beiden Kinder waren sehr verwöhnt, ihre Mutter nörgelte an mir herum und ihr Vater stierte mich manchmal an, als käme ich von einem anderen Stern.

Auch in der riesengroßen Stadt fand ich mich anfangs kaum zurecht. Zu viel Verkehr, zu viele fremde Menschen, nichts Vertrautes! Ich vermisste Afrika viel mehr, als ich mir eingestehen wollte.

Doch ich hielt durch, passte mich dem Leben in Europa an. Von dem Geld, das ich verdiente, gab ich nur sehr wenig aus. Jeden Cent, den ich nicht brauchte, legte ich beiseite, um das Ersparte später gegen Dollars einzutauschen, denn ich wusste, wie viel wert es war, in Ruanda Dollars zu besitzen. Ich würde reich sein am Ende des Europajahrs.

Und – das war für mich das Allerwichtigste – beinah meine ganze Freizeit nutzte ich, um Englischkurse zu besuchen.

Warten.

Sam kippt seinen ersten Aquavit hinunter, der ihm Tränen in die Augen treibt. Elend und völlig durchgefroren fühlt er sich. Dad gießt sich schon das zweite Glas ein.

Sie warten auf Fes Rückkehr oder irgendeine Nachricht. Die Ungewissheit ist kaum auszuhalten, aber lieber das als eine Nachricht, die niemand hören will. Seit einer Viertelstunde sitzen sie zu Hause, weil es keine Anhaltspunkte gibt, wo sie weiter suchen könnten. Das Gespräch mit dem Polizeibeamten hat nicht viel gebracht, sondern Sam sogar noch mehr aufgewühlt, als er ohnehin gewesen war.

Wann genau die Gesuchte denn das Haus verlassen habe?

Keine Angabe.

Wohin könne sie wohl gegangen sein?

Keine Angabe.

Ob es ungewöhnlich sei, dass sie sich noch nicht gemeldet habe?

Nein, aber … ihr Handy bliebe meist zu Hause.

Und wie lange sie schon vermisst werde?

Vor einer guten halben Stunde sei erst aufgefallen, dass sie nicht zu Hause war.

Stirnrunzeln. Tja … das sei natürlich schwierig … an den Strand werde sie bei dieser Wetterlage sicher nicht gegangen sein … sie sei ja wohl nicht lebensmüde …

An dieser Stelle war Dad aus der Haut gefahren. „Ich nehme an, dass meine Frau heute Vormittag zu einem Strandspaziergang aufgebrochen ist. Wahrscheinlich hat der Sturm sie dabei überrascht. Sie kann nicht schwimmen! Also bitte! Unternehmen Sie endlich etwas!"

Der Polizeibeamte hatte versucht, Dad zu beschwichtigen. Er werde gleich die Feuerwehr und den Seenotrettungsdienst informieren, die seien ohnehin auf der Insel unterwegs. Mehr könne man im Augenblick nicht tun. Am besten sei es, wenn sie beide erst einmal nach Hause gingen, um die Vermisste zu empfangen, falls sie von allein wiederkäme. Vorher brauche er allerdings noch ein paar Daten und eine detaillierte Beschreibung der Person. Eine Handynummer außerdem, über die er Dad gegebenenfalls erreichen könne. Gebietsweise sei das Stromnetz ausgefallen …

Sam will nicht daran denken, was „gegebenenfalls" heißen kann. Er hält Dad sein leeres Schnapsglas hin. Das Gesöff schmeckt zwar kein bisschen, doch es wärmt ihn wenigstens von innen auf. Als er den Schnaps hinunterkippt, explodiert in ihm ein Hitzeball.

„Dad ... was ist los mit Mum?!", platzt es aus ihm heraus. „Glaubst du, dass sie ...?"

„Ich weiß nicht!"

„Aber was ist los mit ihr? Ist sie krank oder was? Ich meine ..."

„Ja, vielleicht ist sie krank. Auf jeden Fall so tief verletzt, dass sie sich nicht davon erholen kann."

„Dad, ich will endlich wissen, warum Mum manchmal so ... schwierig ist. Was ist mit ihr in Afrika passiert? Warum erzählt mir denn nie einer was?"

„Sam, ich weiß selbst nicht, was Fe genau erlebt hat. Sie wollte nie darüber sprechen. Ich weiß nur, was in ihrem Land geschehen ist, und das reicht, um mir vorzustellen, dass sie Schreckliches durchgemacht haben muss. 1994, von April bis Juli, hat es in Ruanda einen Völkermord gegeben. Große Teile der Bevölkerung wurden bestialisch umgebracht. Während das Massaker geschah, hat man hier kaum etwas davon mitgekriegt, viel zu spät erst ist das ganze Ausmaß klar geworden."

Dad erklärt mit leiser, müder Stimme, was das *ganze Ausmaß* war.

Von fast einer Million Toten in nur hundert Tagen redet er. Von Männern, Frauen, Kindern, die in ihren Häusern, auf der Straße, selbst in Kirchen abgeschlachtet wurden. Auf Befehl der Regierung hätten viele Ruander – Milizen, Soldaten und Menschen wie du und ich – die Massaker gnadenlos ausgeführt, weil eine ganze Bevölkerungsgruppe ausgerottet werden sollte. Er sagt, dass es keinen Ort im Land gegeben habe, wohin die Menschen fliehen konnten. Nachbarn brachten ihre Nachbarn um, Freunde ihre Freunde und manchmal sogar Verwandte ihre Angehörigen!

Sam nimmt die Worte seines Vaters auf, ohne sich zu rühren. Zwischendurch fragt er sich, wieso er in der Schule nichts davon erfahren hat. Fragt sich auch, warum er überhaupt kaum etwas davon weiß, warum er nie auf die Idee gekommen ist nachzuforschen.

„Fe konnte, kurz nachdem es angefangen hatte, noch ins Ausland fliehen, aber alle ihre Angehörigen sind umgekommen."

Unwillkürlich fängt Sam an zu rechnen. Ungefähr siebzehn Jahre ist das her. Ja, exakt siebzehn Jahre und sechs Monate. Dann müssen seine Eltern sich schon kurz nach Mums Ankunft in Europa begegnet sein und … in dem Fall wäre er …

„Ihr habt mir nie erzählt, wo und wie ihr euch zum ersten Mal getroffen habt!"

Sein Vater starrt auf einen unbestimmten Punkt an der Wand.

„Es war in London, mitten im Dezember. Der Zufall spielte eine große Rolle und … ja … auch meine Brille, oder, wenn du willst, meine Schusseligkeit …"

„Erzähl!" Sam greift zur Flasche, gießt noch einmal Schnaps in beide Gläser.

Dad steht auf und geht zum Fenster. „Fe floh nach London, wo sie vorher schon einmal gewesen war, und bekam bald nach ihrer Ankunft eine Stelle als Servicekraft im Hotel. Zufällig war es das Hotel, wo ein Kongress über neue Verfahren der Osteotomie stattfand. Man hatte mich als Referenten eingeladen und ich reiste zwei Tage vor Kongressbeginn dort an, um mein Referat zu schreiben. Neben meiner Arbeit in der Klinik war ich nicht dazu gekommen und ich hoffte, im Hotel Zeit und Ruhe zu finden …"

Dad kehrt von seinem Fensterplatz zurück und lässt sich wieder in den Sessel fallen. Nicht mehr ganz so angespannt wirkt er jetzt.

„Gleich nach dem Frühstück setzte ich mich an den Schreibtisch und – das kennst du ja – tauchte in meine Arbeit ab. Das Zimmermädchen kam, sah mich vorm Computer sitzen und verzog sich augenblicklich wieder, was ich allerdings nur nebenbei bemerkte. Erst als sie ihren dritten Anlauf nahm, ging mir allmählich auf, dass sie das Zimmer machen, mich jedoch nicht stören wollte. ,Sie können ruhig Ihre Arbeit tun', sagte ich auf Englisch. ,Ich sitze hier bestimmt noch ein paar Stunden.' Zögernd trat sie ein. Eine junge, schlanke, schwarze Frau. Auch das bemerkte ich nur nebenbei. Und fand es angenehm, dass sie stumm und unauffällig arbeitete. Das war unsere erste Begegnung, wenn man es überhaupt so nennen kann."

„Und dann?"

„Dann passierte das mit meiner Brille. Und zwar genau an dem Tag, an dem ich meinen Vortrag halten sollte. Ich war in Gedanken und vergaß die Brille auf dem Frühstückstisch. Nicht weiter tragisch, denn wie immer hatte ich Ersatz in meiner Tasche. Für den Fall der Fälle, der ja nicht so selten eintritt, wie du weißt. In der Kaffeepause vor dem Konferenzsaal kam Fe dann plötzlich auf mich zu. Dieses Mal nahm ich sie bewusster wahr. Ich dachte: Was für eine schöne junge Frau! Und: Irgendwie passt sie nicht hierher. ,Sir, die lag noch auf dem Frühstückstisch', sagte sie und reichte mir die Brille. Stell dir vor, sie hatte mich nur das eine Mal damit gesehen! Als ich mich bedankte, schielte ich auf ihr Namensschild, um sie persönlich anzusprechen. Doch der Name war viel zu schwierig! Außerdem war sie gleich darauf schon wieder weg."

„Ja, und dann?"

„Ich steckte zwanzig Pfund in einen Umschlag, weil ich mich erkenntlich zeigen wollte, schrieb ihr ein paar Zeilen und bemühte mich sogar um etwas Witz. Frag mich bitte nicht, was es war, ich habe es vergessen. Irgend so ein blöder Spruch über einen

Blinden, glaube ich … Ist ja auch egal. Jedenfalls hinterlegte ich den Umschlag an der Rezeption. Mit dem Hinweis: Für die junge schwarze Dame mit dem unaussprechlichen Namen. Da wussten die sofort Bescheid."

Sam gehen ein paar dumme Blindensprüche durch den Kopf, doch keiner ist dabei, der infrage kommen könnte. Ihm ist inzwischen warm geworden, sehr sogar. Ungeduldig wartet er auf den Höhepunkt der Geschichte.

„Als der Kongress zu Ende war, wollte ich mir noch einen freien Tag in London gönnen. Ich hatte mir ein kleines Sightseeing-Programm überlegt und gleich nach dem Frühstück brach ich auf. Und – ob du es nun glaubst oder nicht – wieder wollte es der Zufall, dass deine Mutter haargenau zur selben Zeit das Hotel verließ. Direkt am Ausgang rannte sie an mir vorbei. Sehr eilig schien sie es zu haben, aber als sie mich erkannte, hielt sie an. ‚Danke, Sir!‘, sagte sie. ‚So viel Geld war doch nicht nötig. Aber danke.‘ Und lächelte mich an. Es war das erste Mal, dass ich sie lächeln sah, und dieses Lächeln traf mich wie ein Blitz. Ich war nicht in der Lage, irgendetwas zu erwidern. ‚Ich muss den Bus erwischen‘, fügte sie hinzu und rannte wieder los, schnell und leicht wie eine Sprinterin. Ihr Lächeln noch vor Augen blieb mein Blick an ihrem schmalen Rücken hängen, während sie sich mehr und mehr von mir entfernte. Nein!, dachte ich auf einmal, das alles kann doch nicht nur Zufall sein, es ist mehr … und setzte mich wild entschlossen in Bewegung, um ihr nachzulaufen. Stell dir vor, ich rannte völlig kopflos einer fremden Frau hinterher."

Dad durch London rennend? Kopflos und verliebt? Ja, schon möglich. Noch immer ist etwas davon zu spüren. Vorhin zum Beispiel, als sein Vater durchnässt und aufgelöst an der Zimmertür gestanden hatte. Und Mum?

„Und Mum? Wie hat sie reagiert? Wie hast du sie denn rumgekriegt?"

„Sie … hat es zugelassen. Du weißt ja, wie sie ist. Auf ihre sanfte, kühle Art nahm sie an, was ich ihr geben wollte. Ich glaube, damals hat es ihr einfach gutgetan, dass jemand sie umsorgen wollte. Sie war allein und brauchte Sicherheit. Wie sehr allein, ahnte ich zu diesem Zeitpunkt nicht. Eine Fee war sie für mich, deren fremdes, unnahbares Wesen mich bezauberte. Spontan rief ich die Klinik an und nahm mir Urlaub, um noch länger dazubleiben. Und ja … so … kam dann alles, wie es kommen musste."

Dad verstummt. Sein Gesicht verschließt sich und der sorgenvolle Ausdruck kehrt zurück. Sam hätte gern noch mehr gehört, einfach alles, doch er fühlt, dass er nicht weiter nachbohren darf. In der Redepause, die nun folgt, steigt die kalte Angst wieder in ihm hoch. Das schwarze Fensterrechteck im Visier, lauscht er angestrengt hinaus. Nur noch ein monotones Rauschen ist zu hören. Wie es scheint, haben Sturm und Regen etwas nachgelassen.

Du fragst mich, ob ich jemals richtig glücklich war?

Ja, Sam, das war ich. Sehr sogar, und zwar, als du zur Welt kamst und ich dich kurz nach der Geburt zum ersten Mal in den Armen hielt.

Mein Kind!, dachte ich erfüllt von Freude, tastete dich ab und staunte. Alles winzig, aber heil, und alles schon perfekt. Ein kleiner Mensch, dessen Leben jetzt beginnt. Vielleicht ein Neuanfang auch für mich …

Samuel war der Taufname meines Vaters, deshalb wollte ich, dass auch du so heißt.

Und zum ersten Mal seit Langem hoffte ich.

Die Freude über dich hielt noch in den ersten Jahren an. Du warst ein fröhlicher, liebevoller Junge, der mich oft zum Lachen brachte. Quicklebendig und so voller Energie! Wenn du mir entgegenranntest, sah ich in dir Inyana, fühlte mich ihr wieder nah.

Irgendwann jedoch schlich sich eine unbestimmte Angst in meine Freude, die ich nicht zum Schweigen bringen konnte. Überall, selbst in den kleinsten Alltagsdingen, sah ich Gefahren lauern, die mein Glück bedrohten, und die Furcht, dich zu verlieren, ließ mich überängstlich sein. Es war die Angst vorm Leben, dem ich nicht mehr traute, weil es, wie ich wusste, viel zu schnell ein jähes Ende finden konnte. Beinah Nacht für Nacht holte mich dieses Wissen ein.

Ich versuchte meine Furcht zu ignorieren, nicht zu fühlen, was ich nicht ertragen konnte, und allmählich, ohne dass ich es bemerkte, wurden alle meine Tage farblos grau. Sogar dich, das Liebste, was ich hatte, konnte ich nur noch durch einen grauen Schleier sehen.

Es war schlimm, auch weil ich ahnte, was ich dir und deinem Vater damit antat, aber ändern konnte ich es trotzdem nicht.

Sam springt auf.

„Dad! Hast du das gehört?!"

Das knatternde Geräusch eines Motors, der gedrosselt wird, nähert sich dem Haus. Sam rennt zum Fenster und sein Vater steht Sekunden später neben ihm. Ein Motorroller kommt langsam durch die Dunkelheit auf sie zu, hält direkt vorm Gartentor. Sam durchfährt ein Schreck, als er feststellt, dass es Helens Vespa ist. Was will sie hier? Dann entdeckt er hinter Helens massiger Gestalt auf dem Rücksitz hockend noch eine andere Person und weiß sofort, wer es ist. Vor Erleichterung hätte er schreien können.

Als Dad die Tür aufreißt, stehen beide Frauen schon auf der Schwelle. Mum wirkt neben Helen wie ein Schatten.

„Gott sei Dank, da bist du ja!" Dad streckt beide Hände aus, um Fe ins Haus zu ziehen. Einen Augenblick lang scheint es so,

ls ob er Helen gar nicht wahrnehmen würde, dann aber bittet er
sie doch herein.

„Nein, danke, ich will gleich zurück", wehrt sie ab. „Wer weiß,
was heute Nacht noch vom Himmel runterkommt! Es ist schon
spät, Ihre Frau braucht Ruhe. Ein anderes Mal vielleicht. Ja, gern
ein anderes Mal."

„Danke", murmelt Dad nervös und zögert einen Augenblick,
als wüsste er nicht, wie er sich verhalten soll. Dann macht er kehrt,
um Fe ins Haus zu folgen, die ohne Abschiedsgruß verschwunden
ist.

Sam und Helen sind allein. Ein paar Sekunden stehen sie sich
schweigend gegenüber. Sam ist wie gelähmt, weiß nicht, was er
sagen soll.

„Jetzt geh schon rein!", fordert Helen ihn auf und schickt sich
an zu gehen

„Helen, warte!" Sams Stimme krächzt, brennt im Hals. „Ich
will wissen, was passiert ist. Ich meine, wo und wann du Mum
gefunden hast. Ob sie … durcheinander war oder so."

„Am Deich nicht weit entfernt vom Hünengrab, du weißt
schon, bei den Steinen kam sie mir entgegen. Das war so gegen
Mittag, kurz nachdem der Sturm ausbrach. Natürlich habe ich sie
gleich erkannt. … Nein, verwirrt war sie nicht … nur so … verloren, dass ich mir Sorgen um sie machte. Ich schlug ihr vor, mit mir
ins Haus zu kommen, bis sich der Sturm gelegt haben würde. Sie
zögerte, wollte zuerst nicht. Als ich ihr jedoch erzählte, dass Enna
deine Freundin sei, willigte sie schließlich ein."

„Seit heute Mittag schon war sie bei euch im Haus?", fragt
Sam entgeistert. Ein Gefühl von Ärger macht sich in ihm breit,
steigert sich zur Wut. „Und da hast du uns nicht angerufen und
Bescheid gesagt? Wir waren sogar bei der Polizei und jetzt suchen
die überall nach ihr. Uns nicht zu informieren ist ja wohl … das
Letzte!"

Ungerührt sieht ihn Helen an. „Ich verstehe dich", sagt sie ruhig. „Aber deine Mutter ist erwachsen und muss wissen, was sie tut. Sie war nicht ‚durcheinander', wie du glaubst. Im Gegenteil Sie war sehr klar. Also hätte sie euch selbst informieren können. Dass sie nicht angerufen hat, war ihre Sache. Ich nehme an, sie hatte ihre Gründe."

„Was willst du damit sagen? Ich kapier überhaupt nicht mehr!"

„Wahrscheinlich brauchte sie diese Zeit für sich allein. Das ergab sich so, ohne dass sie es vorausgesehen hat. Weißt du, Sam manchmal bricht plötzlich etwas auf. Wie ein Erdrutsch ist das und wenn so etwas geschieht, verliert alles andere an Bedeutung."

Sam hört zwar, was Helen zu ihm sagt, doch es erreicht ihn nicht. Wie erschlagen fühlt er sich.

„Sprich mit deiner Mutter", rät sie schließlich. „Vielleicht wirst du es ja dann verstehen."

Seine Eltern sind in der Küche. Dad steht am Herd, wo im Kessel Wasser kocht, Mum sitzt am Fenster, blickt hinaus. Ihr Augenlider sind geschwollen.

„Ja, natürlich, nach Ruanda!", hört Sam seinen Vater gerade sagen. „Ich habe schon darauf gewartet, dass du das eines Tages vorschlagen würdest. In den Osterferien nehme ich mir Urlaub und wir fliegen alle hin."

„Nein, Luk, du hast mich falsch verstanden!"

Sam wundert sich, wie Fes Stimme klingt. Unnachgiebig, fast ein wenig aggressiv.

„Nein!", wiederholt sie noch ein wenig lauter. „Ich muss jetzt dorthin, und zwar … allein!"

TRANSITION

Wie soll ich dir erklären, was mit dir geschieht, wenn du in absoluter Panik bist. Weißt du überhaupt, was absolute Panik ist?

Nein, ich denke, niemand kann das wissen, der es nicht schon selbst erfahren hat. Sogar ich kann mich heute kaum daran erinnern. Wie ein böser Traum kommt mir alles vor, etwas, das in Wirklichkeit nie stattgefunden hat. Und trotzdem weiß ich, dass es reine Panik war, die mich Hals über Kopf in die Flucht getrieben hat. Gerade noch zur rechten Zeit.

Der Versuch, Kigali, als das Morden anfing, zu verlassen, war ein Unding, glaube mir! Unmöglich, durch die Straßensperren zu gelangen, trotzdem machte ich mich nachts auf den Weg. Verstecken wollte ich mich nicht, wusste auch nicht, wo, und allein der Gedanke, wieder tagelang irgendwo eingesperrt zu sein, schnürte mir die Kehle zu. Inyanas Albtraum kam mit aller Macht in mir hoch.

Damals wohnte ich schon allein, und zwar am Stadtrand, auf der Seite, wo es Richtung Süden geht. Jemand hatte mir gesteckt, dass der Süden noch nicht völlig abgeriegelt sei, dass man in dieser Richtung nicht so viele Hindernisse überwinden müsse. Also hoffte ich, irgendwie durchzukommen, und brach einfach auf.

Allein dem Zufall habe ich es zu verdanken, dass ich zu sehr später Stunde an entscheidender Stelle einen Wächter antraf, den ich kannte. Einen Exfreund meiner Schwester Ingabire, der früher bei uns ein- und ausgegangen war. Seine Leute waren schon im Vollrausch, schliefen wie die Toten oder kriegten nichts mehr mit. Er hielt mich an, ließ mich eine Weile zappeln, aber schließlich reichte ich hundert Dollar und ich durfte gehen.

Ich floh ohne meine Mutter, ohne meine beiden Schwestern. Sogar ohne sie noch ein letztes Mal zu sehen. Ich habe ihnen nicht Adieu gesagt. Ich dachte nur an mich, handelte, als wären sie schon tot.

Als ich eine Woche später in Bujumbura in die Boing stieg, die mich nach Europa bringen sollte, war unser Land bereits ein Schlachthaus, das in seinem Blut ertrank.

Und dort ließ ich sie zurück.

Die Übernachtung in einem Brüsseler Hotel, das in der Nähe des Flughafens liegt, hätten sie sich sparen können. Frisch und ausgeschlafen wollten sie ins Flugzeug steigen, aber Sam hat kaum ein Auge zugetan und sein Vater sicherlich genauso wenig.

Neben Dad im Doppelbett zu liegen, war für Sam plötzlich viel zu nah gewesen und zugleich schien sein Vater weiter weg als je zuvor. Als würde das, was sie vor sich hatten, sie schon jetzt verändern, jeden von ihnen in eine andere, ganz eigene Richtung treiben.

Während Dad sich von einer Seite auf die andere wälzte, starrte Sam in das stockdunkle Hotelzimmer, dessen lange, blickdichte Vorhänge alles Licht von draußen aussperrten. Angst kroch in ihm hoch. Angst, seinen Vater zu verlieren, zumindest das, was sie beide eng verbunden hatte. Und als könnte dies ein Gegenmittel sein, begann er weit zurück in der Erinnerung zu kramen, versuchte altvertraute Bilder abzurufen, um das Gefühl der Fremdheit zu vertreiben.

Er sah sich rittlings auf Dads schmalen Schultern hocken und hörte sich aus voller Kehle krähen, um das Vaterpferd anzutreiben, sah Dads Hände, die seine kleinen Fußgelenke fest umschlossen hielten, als er plötzlich zum Galopp ansetzte, sah seine eigenen kleinen Finger, die sich in den roten Locken wie in einem

Netz verkrallten, und hörte Dad unter sich jammern, wenn er zu sehr daran zerrte.

Hörte auch die warme Stimme seines Vaters, die ihm vorlas. Die in einer ungeheureren Vielfalt – vom hellsten Piepston bis zum tiefsten Bass – die Stimmen derer modellierte, die in den Geschichten lebten. Nachdem Mum aufgehört hatte, Sam abends in den Schlaf zu singen, war Dad oft an ihrer Stelle an sein Bett gekommen und hatte sich der Länge nach neben ihm ausgestreckt, um mit ihm in Bücherwelten abzutauchen. Und auch als Sam selbst schon lesen konnte, hatten sie auf dieses Ritual nicht verzichten wollen. Einen Eiffelturm gelesener Bücher hätten sie neben sich stapeln können. Manchmal, nach einem besonders langen Arbeitstag, war Dad irgendwann übergangslos eingeschlafen und hatte sich erst spät in der Nacht so leise wie möglich davongestohlen, um Sam nicht zu wecken. Der aber war gewöhnlich trotzdem wach geworden, hatte seine Hand ausgestreckt, um den leeren Platz neben sich abzutasten und die zurückgelassene Wärme noch zu fühlen. Und mit Bedauern festzustellen, dass sein Vater nicht mehr da war.

Schweigend sitzen sie nebeneinander auf der Rückbank des Taxis, das sie zum Flughafen bringen soll. Aus dem Augenwinkel betrachtet Sam das völlig übernächtigte, winterblasse Gesicht seines Vaters und der Gedanke, dass die Zeit der nächtlichen Komplizenschaft unwiederbringlich vorbei ist, versetzt ihm einen Stich.

Er ertappt sich bei dem Wunsch, lieber vorn sitzen zu wollen, nicht so auf Tuchfühlung mit Dad, dessen angespannte Unruhe ihn anspringt wie ein Virus und sich auch in ihm gefährlich auszubreiten droht. Er ist froh, dass sie in Kigali getrennte Hotelzimmer haben werden, er selbst ein Einzelzimmer und Dad ein Doppelzimmer, damit Mum dazukommen kann. Mum! Wie es wohl sein wird, wenn sie sich endlich wiedersehen? Nach immerhin fast einem halben Jahr …

Nie hat sie geschrieben. Angeblich seien Briefe von Ruanda viel zu lange unterwegs und bei ihrer Ankunft längst schon überholt, falls sie überhaupt je ihr Ziel erreichten. Es gäbe in der Stadt zwar schon Internetcafés, aber nicht in ihrem Viertel, und in ihrem Haus hätten sie noch nicht mal Strom … Sporadisch hat sie angerufen, um sich zu erkundigen, wie zu Hause alles lief. Über sich hat sie aber nie viel erzählt. Sam weiß nur, dass sie bei einer alten Frau wohnt, einer Nachbarin von früher, und deren Enkel in Englisch unterrichtet, damit der in der Schule weiterkommt. Von Ennas Mutter hat er außerdem erfahren, dass Mum auf der Suche nach einer *Inyana* ist. Mehr war aus Helen leider nicht herauszukriegen. Den Namen hat er sich gemerkt, weil er ein bisschen wie Indianer klingt.

Monate ohne Mum. Allein mit Dad, der sich die allergrößte Mühe gab, den Männerhaushalt so zu führen, dass es ihnen an nichts fehlte. Nach der Arbeit kochte er sogar für sich und Sam und dann aßen sie gemeinsam. Sam aber konnte das Zusammensein nicht genießen. Es bedrückte ihn, mit anzusehen, wie sehr sein Vater sich bemühte, dabei aber immer stiller wurde. Als sei mit Fe auch ein Teil von ihm weggegangen.

Und schließlich Weihnachten ohne Mum! Zwar in Hamburg, aber nicht im eigenen Haus, wo zurzeit ja Hausbesetzer wohnen, wie Sam die Mieter insgeheim bezeichnet. Sie hatten Weihnachten im Hotel verbracht und da war nicht gerade weihnachtliche Stimmung aufgekommen, geschweige denn so etwas wie Freude. Und am zweiten Weihnachtstag, als Sam bei Jan und Olli war, blieb sogar die Wiedersehensfreude aus.

Weihnachten ist eben ein Familienfest und zum ersten Mal hatte Sam das Gefühl, völlig außen vor zu sein. Mit Jan und Olli war es anders als früher. Es lag an ihm, das wusste er genau, er konnte nicht so offen sein wie sonst. Wollte ihnen auch von Enna nichts erzählen, obwohl er ständig an sie denken musste. Warum er das für sich behielt, warum er glaubte, dass die beiden es wohl nicht verstehen würden, konnte er sich nicht erklären. Doch die ganze Zeit rumorte es in ihm, hielt ihn davon ab, sich auf seine Freunde einzulassen. Es erschien ihm wie Verrat. Verrat an Enna und an ihnen. Wahrscheinlich aber hatten sie es nicht mal mitgekriegt.

Das Taxi bremst und hält vor einer großen Schiebetür aus Glas. Während Dad bezahlt, steigt Sam schon aus, um ihr Gepäck aus dem Kofferraum zu holen. Ein kalter Wind pfeift um die Ecke, und als Dad wenig später draußen steht, schlägt er den Mantelkragen hoch. Seine Augen sind gerötet, seine Nasenspitze glänzt.

Noch zwei Wartestunden bis zum Abflug. Dann wird Brüssel Airlines sie ins Warme bringen.

Und zu Mum.

Die Fluggesellschaft hieß Sabena, flog mehrmals in der Woche Bujumbura – Brüssel und zurück. Inzwischen gibt es sie nicht mehr.

Vor meinem Abflug hielt ich mich ein paar Tage lang bei einer Freundin in Butare auf. Tatsächlich war die Mordmaschinerie im Süden noch nicht angekommen und wir hofften, vielleicht bliebe er sogar von ihr verschont. Ich besorgte mir das Nötigste für die Reise, denn ich hatte, als ich floh, außer meinem Geld nichts mitgenommen.

Obwohl ich in Butare scheinbar rational alles vorbereitete, verließ die Panik mich nicht einen Augenblick. Sie trieb mich an, als ein Freund meiner Freundin mich in der Nacht vor meinem Abflug über die Grenze nach Burundi brachte.

Und als das Flugzeug in Bujumbura endlich abhob, fing ich am ganzen Körper an zu zittern, so sehr, dass eine Stewardess, die es bemerkte, zu mir eilte, um mich zu beruhigen, doch ich kriegte es nicht in den Griff.

Todesangst saß mir im Nacken, ausgelöst durch das, was ich kurz vor meiner Flucht gesehen hatte: Kigalis Straßen plötzlich übersät mit zerhackten Körpern, auch vor dem Hotel, wo ich einen Übersetzungsauftrag hatte. Mithilfe eines Angestellten, den ich kannte, entkam ich noch im allerletzten Augenblick. Er war bereit, das Risiko einer Fahrt durch die Stadt einzugehen, weil er unbedingt zu seiner Frau und zu seinen Kindern wollte, und ich versprach ihm zwanzig Dollar, wenn er mich auf dem Weg dorthin nach Hause brächte. Er versteckte mich im Kofferraum seines Autos.

Unmittelbar bevor ich einstieg, sah ich eine schwer verletzte Frau, die mit leerem Blick zwischen all den Toten auf dem Boden hockte und ihr Baby stillte …

Dieses Bild nahm ich mit nach Europa.

Die Stewardessen in dunkelblauen Uniformen haben ihren Dienst getan: die Klappen der Gepäckfächer zugeknallt, Erfrischungstücher und Kopfhörer in Zellophantüten ausgeteilt und die Anschnallgurte kontrolliert. Nun nehmen sie ihre Plätze ein, damit der Airbus starten kann. Sam lehnt sich zurück. Der Flieger rollt ruckelnd an.

Sam fliegt zum zweiten Mal in seinem Leben. Das erste Mal liegt schon so weit zurück, dass er sich kaum daran erinnern kann. Damals hatte Dad einen Spanienflug gebucht. Es sollte in die Sonne gehen, in den Süden, mit allem, was dazugehört. Mum zuliebe. Immer alles Mum zuliebe …

Zu Sams Enttäuschung haben sie nur einen Platz im Mittelgang erwischt, sodass er nicht aus dem Fenster sehen kann. Dad hat eine Zeitung vor sich ausgebreitet, seine schmalen Finger pressen deren Rand, als hielte er sich daran fest. Der Flieger hebt ab. Acht Stunden Flugzeit bis zur Ankunft in Kigali, die geplante Landezeit ist zwanzig Uhr. Überwiegend reisen Afrikaner mit.

Als der Druck in den Ohren nachlässt und die Motoren leiser werden, nehmen die Stewardessen wieder ihre Arbeit auf. Das Leuchtzeichen für die Sicherheitsgurte erlischt, auf dem kleinen Monitor an der Decke verschwindet die Weltkarte und im Anschluss an einen Spot über Sicherheitsbestimmungen wird ein Disney-Film angekündigt. Ein Kinderfilm, obwohl im Flieger außer einem Baby keine Kinder sind. Sam macht sich gar nicht erst die Mühe, die Kopfhörer auszupacken, sondern öffnet seinen Gurt, stellt sich in den Gang und versucht durch eine der Fensterluken hinauszuspähen.

Nichts als eine dichte weiße Wolkenschicht, stellenweise eingerissen, ein wässrig grauer Abgrund tut sich in den Rissen auf. Enttäuscht kehrt Sam an seinen Platz zurück.

Schräg vor ihm in der Fensterreihe unterhalten sich zwei Europäer, die offenbar zusammen reisen. Der eine holt sein Notebook aus der Tasche, schlägt es auf, klemmt sich ein Headphone auf die Ohren und schiebt eine DVD ins Laufwerk. Wie es scheint, hat er sein eigenes Kino mitgebracht. Sam beugt sich vor, um mitzusehen.

Nach dem Vorspann taucht eine Frau auf dem Bildschirm auf, die in einer schönen Berglandschaft spazieren geht. Es ist Sommer. An einer Brüstung bleibt sie stehen, um in ein weites Tal zu blicken, wo ein Gebäude zwischen Bäumen liegt. Es könnte ein Hotel sein oder … nein, eher eine Klinik. Eine zweite Frau kommt ins Bild, stellt sich zu der anderen und sie reden eine Weile miteinander. Spannend wirkt das nicht gerade. – Schnitt –. In einem Raum, exklusiv möbliert, sitzt ein Mann hinter einem Schreibtisch. Nicht mehr jung, sehr seriös. Lange spricht er in die Kamera, als ob er einen Vortrag halten würde. Sam versucht vergeblich von den Lippen abzulesen. – Schnitt –. Eine Frau auf einer Untersuchungsliege. Ihr Oberkörper ist entblößt. Ein Mann in weißem Kittel steht daneben und beginnt, ihre Brust abzutasten. – Zoom –. Nur noch Männerhand und Brust auf dem Bildschirm, das Kameraauge folgt der Hand, zeigt im Detail, wie die Fingerspitzen minutiös über jeden Zentimeter des Gewebes wandern.

Sam schließt die Augen, um das Bild der fremden Hand auf der fremden Brust zu löschen. Denkt an Ennas kleine Brust in seiner Hand. An sein Staunen, als er sie zum ersten Mal berührt hat. Irre weich und zart hat sie sich angefühlt.

Am Abend vor der Reise durfte er zum ersten Mal bei Enna übernachten. Helen hatte nichts dagegen, sein Vater, dessen Vorbehalte gegen Ennas Mutter seit dem Tag von Mums Verschwinden noch gewachsen sind, umso mehr. Das findet Sam sogar verständlich, denn auch er fragt sich bis heute, was mit Mum in Helens Haus geschehen ist. Warum seine Mutter nach dem Sturm auf einmal unbedingt nach Ruanda wollte. Womöglich hatte Helen ja etwas damit zu tun.

„Wenn's denn sein muss", hatte Dad geknurrt.

Ja, es musste sein!

Erst gegen Morgen waren er und Enna endlich eingeschlafen. Viel zu kurz war die Nacht, bis der Abschied kam.

Enna weiß, dass Sam nicht in irgendeinen Urlaub fährt. Sie weiß, wie sehr er sich auf seine Mutter freut, und kennt genauso seine Zweifel. Sie weiß alles, was er seinem Vater nicht erzählen kann. Beim Abschied hat sie ihm ein kleines blaues Buch in die Hand gedrückt, ein Buch voller leerer Seiten. Nur auf der ersten steht in ihrer runden Schrift: *Tagebuch für Enna von Sam.*

Zuerst hat er gelacht, wusste überhaupt nicht, was das sollte. Bis er es begriff. Typisch Enna! Sie wünscht sich, dass er alles für sie aufschreibt, damit sie, wenn er wiederkommt, etwas Besonderes mit ihm teilen kann. Natürlich nur, wenn auch er es will. Und ob er will! Am liebsten hätte er schon jetzt damit angefangen. Blöderweise liegt das Buch im Koffer, der gerade tief im Bauch des

Fliegers steckt. Zusammen mit dem Herzstein, den er jetzt am liebsten in der Hand oder wenigstens in der Hosentasche hätte.

Und auch eine Frage nahm ich mit nach Europa, die mich nie mehr losgelassen hat.

Bis heute frage ich mich, ob es eine Stelle gibt, vielleicht sogar so etwas Ähnliches wie eine höhere Instanz, wo entschieden wird, wer überleben darf und wer nicht.

Sollte sie existieren, klage ich sie hiermit an!

Wegen zum Himmel schreiender Ungerechtigkeit.

Warum musste meine Mutter sterben, warum wurden meine Schwestern umgebracht? Ausgerechnet diese drei, die mir doch so viel gegeben hatten …

Warum sie und – nicht ich?

TEIL II

EIN ANDERER KONTINENT

Kein Zeuge ist besser als die eigenen Augen.
(Afrikanisches Sprichwort)

EINS

Sam ist beinah feierlich zumute, als sie aus dem Flugzeug steigen. Ein warmer Wind bläst ihnen einen süßen, schweren Duft entgegen und mit jedem Schritt, den sie über den Landeplatz in Richtung Ankunftshalle gehen, wächst in Sam die Spannung auf das Wiedersehen mit seiner Mutter.

Sein Vater zieht unterwegs den Mantel aus. Sein Gesicht ist völlig ausdruckslos. Auch für ihn ist es der erste Afrikabesuch und Sam kann spüren, wie nervös er ist.

Überall in der Halle stehen Männer in Uniform herum, einige mit vorgehaltenem Gewehr. Bevor die Passagiere durch die Passkontrolle dürfen, müssen sie auf einem Meldezettel eine Frageliste abarbeiten: Wer sie sind, woher sie kommen und wohin sie wollen. Zuletzt wird nach dem Grund ihrer Reise gefragt. Sam weiß nicht, was er schreiben soll. Dass sie seine Mutter nach Hause holen wollen? Warum sie hier sind, geht doch keinen etwas an! Er schielt auf den Zettel seines Vaters, aber dessen Schrift ist so genial, dass sie keiner lesen kann.

„Dad, was soll ich schreiben? Zu: warum wir hier sind, meine ich."

„Schreib einfach Verwandtenbesuch", schlägt sein Vater vor.

Ihre Pässe werden eingescannt, dann folgt die Gesichtskontrolle. Der Kontrollbeamte mustert Sam unerträglich lange, bis er ihn endlich durchwinkt. Sam würde am liebsten einfach losrennen. Erst nach ein paar Metern fängt er an, sich ein wenig zu entspannen.

Das Gepäckband läuft im selben Raum und die ersten Koffer sind schon unterwegs. Sams Augen kreisen mit dem Band. Er wundert sich, wie viele Koffer völlig gleich aussehen. Einige Male ist er drauf und dran, einen aufzunehmen, der jemand anderem gehört. Auch sein Denken kreist mit dem Band. Gespannt fragt er sich, ob Fe wohl direkt am Ausgang steht, weil auch sie das Wiedersehen kaum erwarten kann. Das Gepäckband läuft und läuft, wird allmählich immer leerer, aber ihre Koffer kommen nicht. Zum x-ten Mal erscheint ein riesiges Gepäckstück in einer leuchtend blauen Plastikhülle. Irgendetwas stimmt da nicht! Auf einmal fällt Sam wieder ein, dass sie in Brüssel mit den eigenen Koffern noch einen fremden aufgegeben haben. Eine Afrikanerin hatte sie darum gebeten, weil das Gesamtgewicht ihres Gepäcks weit über dem erlaubten lag. Jetzt ist sie nirgendwo zu sehen. Könnte das der Grund für die Verzögerung sein?

Wie ein aufgescheuchter Hahn reckt Dad den Hals und trippelt vor dem Band auf und ab. Was, wenn in dem fremden Koffer nun etwas Verbotenes ist: Drogen oder Waffen oder … Wenn man es gefunden hat und natürlich denkt … Sam schielt zur Seite, wo zwei Polizisten stehen.

Plötzlich hält sein Vater an, um gleich darauf eine graue Säule anzusteuern, hinter der, halb verdeckt, ihre Koffer stehen. Jemand muss sie schon vom Band genommen haben.

Wie immer geht Sam davon aus, dass seine Mutter nicht zu übersehen ist, doch er kann sie zwischen den am Ausgang Wartenden nicht entdecken. Die Gesichter hier sind alle dunkel, was es schwierig macht, klar, aber Mum fällt einem sonst immer und überall sofort ins Auge. Sam sucht nach einem schicken Hut oder irgendetwas in der Art, was sie von der Menge unterscheidet. Nichts.

Endlich hebt Dad seinen freien Arm, um wie wild zu winken, und im Pulk der Wartenden hebt sich auch ein Arm. Gleich darauf löst sich jemand aus der Menge und kommt zielgerichtet auf sie zu.

Es ist Mum. Und doch auch wieder nicht. So anders sieht sie aus, dass Sam es erst kaum glauben kann.

Sie trägt ein langes Kleid aus einem bunten Stoff, leuchtend rot, dunkelblau und gelb gemustert, große Flügelärmel machen ihre Schultern breiter, als sie sind. Auch ihr Haar, das inzwischen ziemlich lang geworden ist, wirkt durch ein buntes Stirnband anders … irgendwie weiblicher.

Verwundert starrt Sam seiner Mutter ins Gesicht, über das in diesem Augenblick ein Lachen fliegt. Und schon ist sie da, nimmt ihn in die Arme, nicht besonders fest, eher so, als wäre er ein rohes Ei, und küsst ihn federleicht auf den Mund. Auch Dad bekommt zwei Küsse aufgehaucht, einen rechts, einen links auf die Wange, doch bevor er reagieren kann, tritt Mum schon einen Schritt zurück.

„Willkommen in Kigali", sagt sie. „Wie war eure Reise?"

Dad stöhnt übertrieben, um zu zeigen, welche Todesängste er da oben ausgestanden hat. Dann legt er seine Hände kurz auf ihre Arme.

„Hallo, Fe! Richtig gut siehst du aus!"

„Und du geschafft und müde. Ihr wollt bestimmt gleich ins Hotel."

Sam bemerkt, wie sein Vater leicht zusammenzuckt.

„Nein, noch nicht gleich. Ich brauche etwas Geld in der Landeswährung. Gibt es hier in der Nähe vielleicht einen Geldautomaten?"

Mum erklärt, dass es den zwar gäbe, aber nicht für Europäer. Dass Dad nur bei einer großen Bank in der Stadt Geld abheben könnte, die natürlich abends nicht geöffnet hat.

„Hast du Euro?", fragt sie. „Überall sind Wechselstuben, wo du Bargeld gegen Francs tauschen kannst. Ich komm am besten mit, damit du nicht übers Ohr gehauen wirst."

Ich komm am besten mit?! Wie meint sie das?

„Dann mal los!", sagt Dad gezwungen munter. „Ein Taxi wird es ja wohl geben."

„Nicht nötig. Musa wartet vor der Tür. Er war so nett, mich herzufahren, und bringt euch gern zum Hotel. Taxis sind hier nämlich teuer."

Sam traut seinen Ohren nicht. Langsam, aber sicher schwant ihm, dass es keine Wiedersehensfeier geben wird.

„Kommst du denn nicht mit ins Hotel?"

Er schreit es fast. Mum sieht ihn an und schüttelt stumm den Kopf.

„Wieso denn nicht?" Jetzt schreit er wirklich.

„Lass mal, Sam!", fährt Dad dazwischen und sein Gesicht geht dabei in Flammen auf. „Wir sind ja noch zwei Wochen hier, es muss nicht alles gleich am ersten Abend sein."

Sam hat Mühe, sich zu bremsen, nur Dad zuliebe reißt er sich zusammen. Warum muss sein Vater immer so geduldig sein, warum platzt er nicht und lässt seinen Frust endlich raus? Er hätte jedes Recht dazu! Stattdessen hebt er nur die Hand, um sich Haare aus der Stirn zu streichen, wo gar keine sind.

„Ja, ich bin wirklich müde", sagt er leise.

Musa ist ein kräftiger Kerl, der Dad fast um einen halben Meter überragt.

Lässig lehnt er an der Tür eines uralten Toyota. Als sie näher kommen, macht er einen Satz zur Seite und reißt die Tür auf, die erbärmlich knarrt. Wortlos nickt er ihnen zu und verstaut mit ein paar Griffen das Gepäck im Kofferraum. Dad und Sam klettern auf den Rücksitz, Mum steigt vorne ein.

Erst als er auch im Auto sitzt, begrüßt Musa sie auf Französisch. Er hat eine tiefe, melodiöse Stimme. Dad grüßt knapp zurück. Es ist herauszuhören, dass er keine Lust auf irgendeine Unterhaltung hat.

Sam fühlt sich wie im falschen Film. Die Anschnallgurte funktionieren nicht und das Polster seines Sitzes hängt so tief durch, dass sein Hintern Bodennähe kriegt. Mum und Musa reden in ihrer Sprache miteinander, die er natürlich nicht versteht. Trotzdem klingt das, was er hört, seltsam vertraut, rührt irgendetwas in ihm an.

Mum dreht sich um. „Wenn es dir recht ist, Luk, fahren wir direkt zum Hotel und halten unterwegs. Musa kennt einen Laden, wo man günstig Geld wechseln kann."

„In Ordnung", murmelt Dad. Danach schweigt er. Und dabei bleibt er auch, während sie durch das nächtliche Kigali fahren.

Draußen wimmelt es von Afrikanern. Junge, Alte und auch Kinder. Sam ist überrascht, dass so viele Leute nachts noch auf der Straße sind. Manche haben es offenbar sehr eilig, andere lungern nur herum. Auf beiden Straßenseiten reihen sich Läden nahtlos aneinander. Keine richtigen Geschäfte, eher fensterlose Kästen, die wie Garagen vorne offen sind. Waren aller Art stapeln sich im Inneren und davor.

Musa kann nur im Schneckentempo fahren, der Verkehr ist ungeheuer dicht. Immer wieder werden sie von Mopeds überholt, die sich schlängelnd einen Weg um die Autos bahnen. Ein paarmal muss Musa hart auf die Bremse treten, er flucht und hupt, stimmt in das Konzert der anderen ein.

An fast jeder Ecke stehen Polizisten oder Gruppen von Soldaten, die Kalaschnikows vor sich halten. Lässig, beinah spielerisch.

Plötzlich will Sam nur noch auf dem schnellsten Weg ins Hotel. Und da auch nichts mehr essen, sondern gleich ins Bett. Schlafen und von Enna träumen! Als sie vor der Wechselstube halten, steigt er gar nicht erst mit aus.

Wir sind angekommen, Enna, gestern Abend spät, aber es ist alles überhaupt nicht so, wie ich dachte!

Ich sitze hier in meinem Zimmer im Hotel (einem Luxusschuppen mitten in der Stadt) und vor mir liegt das blaue Buch von dir.

Es ist sehr früh, nicht mal sechs, und noch dunkel draußen. Ich bin gerade aufgestanden, weil ich nicht mehr schlafen konnte. Hab übrigens sowieso kaum ein Auge zugetan. Alles fremd, viel zu warm und ich seit gestern ... ziemlich durch den Wind. Du schläfst bestimmt noch, liegst in deiner Koje, wo ich jetzt auch am liebsten wäre.

Draußen wird es langsam hell. Unser erster Tag in Afrika bricht an. Soll ich dir was sagen, Enna? Meine Augen brennen wie verrückt und ich fühle mich beschissen. Kein Wunder nach vier Nächten mit zu wenig Schlaf und einem Wiedersehen, das total enttäuschend war.

Mum war zwar wie versprochen da, um uns abzuholen, aber ... Stell dir vor, ich hätte sie beinah nicht erkannt. Sie sah ganz anders aus, so afrikanisch, und auch sonst kam sie mir sehr verändert vor. Ich kann noch gar nicht sagen, wie.

Was habe ich erwartet? Dass sie sich vor Freude überschlägt, meinem Vater um den Hals fällt und ihn leidenschaftlich küsst? Nein, nicht wirklich. Aber trotzdem! Wie zwei Fremde haben sie und Dad geredet, und das bei einem Wiedersehen nach so langer Zeit! Und einen Typ namens Musa hatte sie dabei, der den Chauffeur abgegeben hat. Übrigens wohnt sie nicht mit uns im Hotel, ist sogar gestern nicht mal mehr mit reingekommen. Ein halbes Jahr waren wir getrennt und sie bringt es fertig, uns da einfach abzusetzen!

Das alles kann ja wohl nicht wahr sein, oder was meinst du?

Ich frage mich, was das Ganze soll, warum wir überhaupt hierhergekommen sind. Falls mein Vater es so schluckt, ist das seine Sache ...

Ich jedenfalls bin nicht dazu bereit.

ZWEI

Wie würdest du das aussprechen? Ich breche mir die Zunge ab!"

Sam beugt sich über den kleinen Sprachführer für Touristen, den sein Vater gerade im großen Kaufhaus des Union Trade Centers von Kigali erstanden hat, wo man beinah alles kaufen kann.

Sie haben einen Fensterplatz im großen Bistro des Centers ergattert, was nicht so einfach war, denn es ist rappelvoll. Vor Dad steht ein schäumender Cappuccino, vor Sam ein Mixgetränk aus Eis und frischen Maracujas, das er gierig durch einen dicken Strohhalm schlürft.

Bei ihrem ersten Bummel durch das Zentrum von Kigali, bergauf, bergab, haben sie sich die Füße wund gelaufen und Sam ist erleichtert, dass er endlich sitzt. Das ungewohnte Klima schafft ihn, obwohl es überhaupt nicht heiß ist, eher mild wie im Frühling.

Mwiriweho – Good afternoon

M vor W – wie spricht man das bloß aus?

Sie warten hier auf Mum, die gegen drei kommen will, um sie abzuholen. Zu einem Besuch bei der alten Frau, in deren Haus sie wohnt. Sam ist aufgeregt und Dad wahrscheinlich ebenso, obwohl er es wie üblich gut kaschiert.

Es könne ja nicht schaden, hatte er gemeint, wenigstens ein paar Floskeln in der Landessprache zu beherrschen, um die alte Frau persönlich anzusprechen.

Murabeho – Goodbye

Urakose – Thank you

Mumeza mute – How are you?

Das liest sich schon ein bisschen leichter, findet Sam. Während er versucht, sich die Worte einzuprägen, schweifen seine Augen überall umher.

Wenn er es nicht wüsste, käme er wohl kaum auf die Idee, in Afrika zu sein. An den Tischen sitzen Europäer und Asiaten, zwar auch Afrikaner, aber überwiegend Businessleute, die hier offensichtlich ihre Mittagspause machen. Hamburger und Pommes, Pasta, Sandwiches kommen auf den Tisch. Nichts Exotisches, wie Sam erwartet hätte.

Auch das, was er bisher von der Stadt gesehen hat, ist völlig anders als erwartet: verspiegelte Bankgebäude, neue Geschäfts- und Bürohochhäuser, in denen sich ebenerdig Reisebüros, Bars und Internetcafés befinden.

In einer der großen Banken hat Dad inzwischen Geld abgehoben. Ein Euro sind achthundert Francs, ein dickes Bündel Scheine. Zweihundertvierzigtausend Francs, das Maximum, das er kriegen konnte, stecken jetzt in einem Umschlag und beulen seine Jackentasche aus.

Im Anschluss an den Bankbesuch hatten sie sich durch die Menschenmassen und den unaufhörlich strömenden Verkehr einen Weg ins Zentrum gebahnt. Zwischendurch waren sie immer wieder von jungen Leuten angehalten worden, die etwas verkaufen wollten – Handykarten, Schuhe, einen Stadtplan, Süßigkeiten, Obst … was auch immer – und von fliegenden Geldwechslern, die ihnen Sonderkonditionen anboten. In den Nebenstraßen hatten sie dann wieder die Garagenläden vorgefunden, alle bis zur Decke voller Warenstapel und voller Menschen, die nichts kaufen, sondern verkaufen wollten oder einfach nur die Zeit totschlugen.

Sam brummt der Kopf von den vielen Eindrücken. Leider hat er seine Kamera im Hotel gelassen, sodass er einige besondere Bilder nur in Gedanken speichern konnte: Vor einem der Garagenläden zum Beispiel kleine Kinder, die ungeachtet des

Verkehrs mitten auf der Straße selbstvergessen mit Verpackungsteilen aus Styropor Türme, Häuser, Mauern bauten … Mütter, die am Straßenrand auf dem Boden hockten, ihre Babys an der Brust und die Hand ausgestreckt, um zu betteln. Oder der zwergenhafte alte Mann im gestreiften Bademantel und mit viel zu großen Schuhen an den nackten Füßen. Sein Haar fast weiß, sein verwittertes Gesicht dagegen schwarz wie die Nacht. Auf einen langen Hirtenstock gestützt schritt er hoch erhobenen Hauptes durch die Menschenmenge – wie ein König. Und immer wieder sah Sam Männer Hand in Hand, Arm in Arm oder eingehakt durch die Straßen gehen, Jugendliche in Jeans und T-Shirt, wie auch erwachsene Männer in Schlips und Kragen. Als ob das hier so üblich wäre. Bei Gelegenheit muss er Mum fragen, was das zu bedeuten hat.

„Also, wenigstens ‚Guten Tag', ‚Danke!' und ‚Auf Wiedersehen' sollten wir sagen könnnen." Dad trinkt den Rest des Cappucinos aus. „Ich bin gespannt, was uns gleich erwartet."

„Wahrscheinlich Afrika, wie es früher war", vermutet Sam. „Ein Haus aus Lehm, ohne Strom und fließend Wasser hab ich im Zentrum nirgendwo gesehen."

„Ja, das stimmt! Wirklich bemerkenswert, was sich hier innerhalb kurzer Zeit entwickelt hat! … Kagame will offenbar ziemlich hoch hinaus."

Paul Kagame. Der Präsident Ruandas, dessen Bild in Großformat überall gegenwärtig ist. Auch an der Wand des Bistros hängt ein Exemplar, sogar goldgerahmt. Zum wiederholten Mal betrachtet Sam das schmale, hagere Gesicht, das ihn fremd und undurchdringlich durch eine große Brille anblickt.

Der passt auf wie ein Luchs, denkt Sam. Und es ist ihm anzusehen, dass er mal Rebellenführer war.

„Ich habe gelesen, dass die Modernisierung unter Hochdruck vorangetrieben wird", meint Dad. „Geplant ist eine radikale

Stadtsanierung. Hochhäuser flächendeckend, und die brauchen Platz. Fragt sich nur, was aus den vielen Menschen wird, die in den kleinen Läden ihren Lebensunterhalt verdienen!"

In diesem Augenblick kommt Mum durch die Eingangstür. Sam sieht sie lächeln und sein Herz beginnt sofort hoffnungsvoll zu klopfen. Heute wird es anders sein als gestern, ganz bestimmt! Dad steht auf, um sie zu begrüßen, und erkundigt sich, was sie trinken möchte.

„Danke, nichts! Lasst uns lieber gleich aufbrechen. Die Hauptdurchgangsstraße ist zurzeit gesperrt, weil der Präsident unterwegs ist. Gewöhnlich heißt das Stau im gesamten Stadtgebiet. Und Kimironko, der Stadtteil, wo wir wohnen, liegt am anderen Ende von Kigali, also kann es dauern, bis wir da sind."

„Gut, dann zahle ich", sagt Dad und gibt der Kellnerin ein Zeichen.

„Ihr solltet hier aber vorher noch zur Toilette gehen", empfiehlt Mum. „Mit unserer könntet ihr Probleme haben."

Was soll das heißen? Dass ihr Klo etwa unbenutzbar ist?

„Wir haben nämlich keine richtige Toilette. Nur ein tiefes Loch im Boden. Wenn es voll ist, wird es zugemacht und an anderer Stelle gräbt man dann ein neues."

Das klingt, als wäre es nur eine Kleinigkeit. Dabei ist es ungeheuerlich, findet Sam. Vor allem aus dem Mund seiner Mutter!

Es sieht ganz danach aus, als ob Mum ihnen eine Art Crashkurs in Sachen afrikanischer Alltagserfahrung vermitteln will. Wieder lehnt sie es entschieden ab, mit dem Taxi durch die Stadt zu fahren. Und weil Musa dieses Mal als Chauffeur nicht zur Verfügung steht, gehen sie zunächst ein Stück zu Fuß, um etwas später in einen klapprigen Minibus zu steigen, der so überfüllt ist, dass er aus den Nähten zu platzen droht. Aber Sam und Dad haben keine andere Wahl, als Fe zu folgen, die den Bus mit einem kurzen Wink dazu gebracht hat, dort, wo sie gerade stehen, anzuhalten, obwohl es keine Haltestelle gibt.

„Wenn man weiß, wohin man will, ist es am einfachsten und vor allem billigsten, den Bus zu nehmen", erklärt sie, als das Ding sich schwankend wieder in Bewegung setzt. „Mofataxis sind auch günstig, aber davon rate ich euch dringend ab, wenn ihr euer Leben nicht riskieren wollt!"

Sam fasst es nicht, dass seine Mutter eingezwängt zwischen all den lachenden und palavernden Leuten steht – einige von ihnen balancieren Taschen oder schwer bepackte Körbe auf dem Kopf – und dass sie sogar ab und zu einen Kommentar von sich gibt, den er und Dad natürlich nicht verstehen können. Sie beide sind am Rand geblieben, nah der Tür. Diesen Raum lässt man ihnen, Abstand haltend, wie es scheint, und sie werden angestarrt, als gehörten sie nicht hierher. Dad wischt sich den Schweiß von der Stirn, der nicht nur ihm aus allen Poren strömt. Schweißgeruch hängt in der Luft, obwohl die Seitenfenster offen stehen.

Sie kriechen über die verstopften Straßen und wieder tobt um sie herum ein Höllenhupkonzert, das vor allem durch die Mofataxis provoziert wird, die in gewagten Bögen um den übrigen Verkehr herum vorwärtspreschen.

Hinter dem Zentrum öffnet sich die Stadt und breitet sich nach allen Seiten über Hügel aus, auf denen sich diverse Siedlungen verteilen. Zwar taucht hin und wieder noch ein Hochhaus auf, auch andere moderne Bauten oder Bauruinen, doch das Bild kleiner, flacher Lehmhäuser überwiegt, die sich alle ähneln und verschachtelt sind wie in einem Labyrinth. Dazwischen rote Erde, sattes Grün.

Gegenüber, auf der anderen Straßenseite, rollt ein Pick-up an, auf dessen großer Ladefläche ein Haufen Männer sitzt, die alle eine Art babyrosa Schlafanzug tragen. Auch der Pick-up kommt nur langsam voran und muss zwischendurch immer wieder stoppen.

„Das sind Strafgefangene", sagt Mum, die Sams Blick verfolgt. „Mörder, um genau zu sein!"

Sie sagt es laut, mit ungewöhnlich harter Stimme und auf Deutsch. In der Gewissheit, dass im Bus niemand sonst Deutsch versteht.

Mörder in rosa Schlafanzügen?

Auch diese Frage landet auf Sams Liste ungeklärter Einzelheiten, die allmählich immer länger wird. Er stiert die Männer an, sieht sie miteinander reden, lachen, als ob sie einen Ausflug unternehmen würden. Wie kann es sein, dass sie da so locker auf der freien Ladefläche sitzen und noch nicht einmal gefesselt sind?

Erst jetzt stellt Sam fest, dass vier Motorradfahrer in Uniform den Gefangenentransport begleiten, alle schwer bewaffnet, was ihn dieses Mal nicht stört, sondern eher beruhigt.

Auf einem großen Platz, wo noch andere Busse warten, steigen sie endlich aus. Auch hier wimmelt es von Menschen. Einige, die den Bus verlassen, strömen gleich zum nächsten, der sie schluckt und sich erst, als wirklich niemand mehr hineinpasst, in Bewegung setzt.

„Jetzt ist es nicht mehr weit", sagt Fe. „Wir können zu Fuß gehen."

Während sie den Platz überqueren, entdeckt Sam überall verstreut Bettler, die am Boden hocken oder liegen. Schmutzige, stark verstümmelte Gestalten, deren Anblick ihn schockiert. Er sieht, wie Dad in seine Jackentasche greift, dahin, wo der dicke Umschlag steckt. Mum aber geht so schnell voraus, dass keine Zeit bleibt, anzuhalten und Almosen zu verteilen.

Erneut gelangen sie auf eine dicht befahrene Straße, wo sich kleine Läden oder Wechselstuben aneinanderreihen, ärmlichere als die in der Innenstadt. Es geht steil bergan und die Sonne senkt ich schon in sattem Abendglanz. Plötzlich biegt Fe in eine Straße ein, die nicht mehr asphaltiert ist, nur noch ein breiter Weg, der hinunter zu einer Siedlung führt. Hibiskushecken säumen hier den Wegrand. Im Sonnenlicht leuchten ihre feuerroten Blüten auf wie Flammen.

Aus einem der mit Wellblech gedeckten Lehmhäuser, deren Fenster- und Türöffnungen nur mit Tüchern verhangen sind, stürzt eine Horde kleiner Jungen hervor und stellt sich ihnen mitten in den Weg. Sie sind barfuß, tragen nichts als kurze, zerrissene Hosen, ihre dunkle Haut ist staubbedeckt und einem läuft der Rotz aus der Nase.

„Bazungu! Bazungu!", brüllen sie und starren Dad und Sam aus großen, dunklen Augen an.

„So begrüßt man hier die Bleichgesichter", kommentiert Fe die Aktion mit einem Lachen. Sie wedelt mit den Händen und die Jungen stieben sofort auseinander. Kurz darauf hält sie vor einer hohen Zypressenhecke an. „Wir sind da", sagt sie.

Und durch eine breite Öffnung in der Hecke betreten sie einen kleinen Vorhof, wo sie schon erwartet werden.

Wie soll ich anfangen, Enna, wie beschreiben, was ich fühle … wenn ich es doch selbst nicht weiß!

Wieder ist es sechs, aber diesmal sechs Uhr abends. Zwölf Stunden sind vergangen, seit ich dir zum ersten Mal geschrieben habe, und es wird draußen dunkel. Der Tag verschwindet hier sehr schnell.

Vorweg: Auf alle Fälle nehme ich bei meinem nächsten Ausflug in die Innenstadt meine Kamera mit und mache jede Menge Fotos. Für dich, damit du alles mit eigenen Augen sehen kannst.

Heute Nachmittag hat meine Mutter uns abgeholt, um mit uns dahin zu fahren, wo sie in Kigali lebt. Zu der alten Frau, die sie ‚Mama Munyemana' nennt. Keine Ahnung, was das soll, ich werde sie bei Gelegenheit danach fragen. Überhaupt gibt es viel, was ich sie fragen will.

Stell dir vor, Mum wohnt mit der alten Frau und deren Enkel in einem kleinen Haus aus Lehm. Ohne Küche. Ohne Bad. Ohne Strom. Täglich schleppen sie eigenhändig Wasser in Kanistern an, das sie zum Kochen oder Waschen brauchen. Gekocht wird im Hof auf einer Feuerstelle. Und Mum hat nur ein kleines, dunkles Zimmer mit nichts als einem Bett darin! In den beiden Koffern, die sie von zu Hause mitgenommen hat, bewahrt sie ihre Kleidung auf. Ich habe wirklich nicht die leiseste Idee, warum sie sich das antut!

Übrigens soll ich zu der alten Frau „Nyogoku" (Oma) sagen, was mir komisch vorkommt, weil ich nie eine Oma hatte. Ich weiß nicht … ja, vielleicht … wenn ich sie etwas besser kenne.

Im Hof vor ihrem kleinen Haus hat sie uns erwartet. Mit ihr noch ein paar Nachbarn und ihr Enkel, der zwei Jahre älter ist als ich. Jean-Claude heißt er. Ein langer, dünner Typ, den ich überhaupt nicht einschätzen kann. Betont lässig lehnte er an der Hauswand und verzog keine Miene, als wir uns begrüßten. Insgesamt hat er kaum etwas gesagt, obwohl er Englisch kann, wie ich weiß. Mum hat es ihm nämlich, seit sie wieder hier ist, beigebracht.

Dafür hat die Oma umso mehr geredet und dabei hinter vorgehaltener Hand (sie hat keine Zähne mehr!) gekichert wie ein kleines Kind. Beinah pausenlos hat sie auf uns eingeredet, als ob wir sie verstehen könnten. Dad hat sie angegrinst und immerzu genickt, wie so ein Wackeldackel. Mich hat die Oma sogar angefasst, regelrecht abgetastet. Kann ja sein, dass sie mit ihren trüben, grauen Augen nicht viel sieht und einfach fühlen wollte, wer ich bin. Jedenfalls fand ich es extrem eigenartig, als ihre langen, dünnen Finger mich berührten.

Weißt du, als ich klein war, habe ich mir so immer eine Hexe vorgestellt: zahnlos, dürr und faltig, mit gebeugtem Rücken und schneeweißem Haar. Nur, dass diese „Hexe" afrikanisch aussieht und, zugegeben, eine ziemlich liebe Hexe ist.

Zwei Fremde unter Fremden – so war das heute Nachmittag. Und am meisten stört es mich, dass meine eigene Mutter mir so fremd war wie noch nie! Wie soll ich das erklären, Enna? Die Frau von heute Nachmittag – wie sie hier lebt und sich benimmt – ist das krasse Gegenteil von meiner Mutter. Von der Mutter jedenfalls, die ich bisher kannte.

Gleich nachdem wir bei der alten Frau angekommen waren, überraschte uns ein heftiges Gewitter und wir mussten schnell ins Haus. Drinnen war es viel zu eng und es gab nicht genügend Sessel oder Stühle. (Die Sessel waren außerdem total ramponiert!) Nur Dad und ich, die Oma und eine ältere Nachbarin kriegten einen Sitzplatz. Der Rest musste stehen. Das war mir peinlich, aber was sollte ich denn tun? Ich hab doch keine Ahnung, was sich hier gehört und was nicht!

Donnerschläge explodierten alle paar Sekunden rund ums Haus und der Regen knallte so auf das Wellblechdach, dass man sein eigenes Wort nicht mehr verstand.

Am Ende tauchte dann zu allem Überfluss wieder dieser Musa auf, von Mum gerufen, nehme ich mal an, um uns zum Hotel zurückzubringen.

Dad war unterwegs stumm wie ein Fisch. Total erschöpft wahrscheinlich, weil er sich vor lauter Bemühen, nett zu sein, die ganze Zeit so abgestrampelt hatte. Obwohl er sich bestimmt nicht wohlgefühlt hat. Wie auch? Mum hat sich ihm gegenüber verhalten, als ob er bloß irgendein Bekannter wäre, nicht ihr Mann.

DREI

Sam steht unter der Dusche, als sein Handy unerwartet klin gelt. Vielleicht Mum? Dad sicher nicht. Der hat sich gerade ers zurückgezogen, weil er eine Siesta halten will.

Sam dreht das Wasser ab, wickelt sich ein großes Handtuch um den Bauch und läuft, noch tropfend, zum Schreibtisch, wo sein Handy liegt. Der Fernseher ist eingeschaltet. Eine Gruppe traditioneller Tänzer springt über den Bildschirm. Sie tragen Perücken mit meterlangen hellen Basthaaren, bunte Stirnbänder und Schurze aus Leopardenfell, fuchteln mit Speeren herum und führen sich auf, als ob sie mitten in einem wilden Kampfgetümmel steckten. Im Hintergrund lässt ein Trommler seine Stöcke auf einer großen Trommel wirbeln.

„Ja?"

„Jean-Claude."

Ach so! Der ist schon da. Obwohl sie sich erst in einer halben Stunde treffen wollten. Jean-Claude soll Sam zu dem Waisenhaus begleiten, wo Fe zweimal in der Woche Englischunterricht erteilt. Sie hat Sam vorgeschlagen, sich das anzusehen, und wenn er Lust hat, vielleicht sogar mitzumachen. Mitmachen eher nicht! Aber sehen möchte er natürlich, wie seine Mutter hier ihre Zeit verbringt.

„Hi! Komm doch rein! Bin noch nicht ganz so weit. Frag einfach an der Rezeption, wie du mich finden kannst!"

„Nein, ich warte lieber draußen."

„Wie du willst! Ich beeile mich." Sam lässt das Handtuch fallen.

Was soll er anziehen? Eine kurze Hose? Geht das? Es ist heute ziemlich heiß. Aber er hat nur bunte Bermudashorts dabei. Lieber Jeans und Hemd! Bei Gelegenheit will er eine kurze Hose kaufen, die nicht so auffällt. Hier gibt es nämlich offenbar eine Kleiderordnung. Die meisten Männer tragen Anzüge. Oder Uniformen. Ja, selbst die Säuberungstruppen in der Stadt haben eine Art Uniform: kornblumenblaue Kittel, die von Weitem leuchten. Ausgerüstet mit Spitzhacken, Gartenscheren und Hexenbesen, sind ganze Heerscharen von Blaukitteln in den Grünanlagen und Beeten unterwegs, um alles in Ordnung zu halten. Für wen eigentlich? Wo es doch verboten ist, die Grünanlagen zu betreten!

Babyrosa für die Kriminellen, Kornblumenblau für die Arbeiter?

Sam klebt das Hemd am Rücken, als er das Hotel verlässt. In der Eile hat er sich nicht richtig abgetrocknet. Jean-Claude erwartet ihn an der Eingangstür. Stadtfein gekleidet, und Sam ist froh, dass er sich für die Jeans entschieden hat.

Wieder fällt Jean-Claudes Begrüßung wortkarg, beinah frostig aus. Sam beschließt, es zu übergehen, auch im weiteren Verlauf des Nachmittags, falls Jean-Claude bei seiner Reserviertheit bleiben sollte.

„Ist es weit? Dann könnten wir ein Taxi nehmen."

„Wozu ein Taxi, wenn es anders schneller geht!", sagt Jean-Claude.

Zielstrebig steuert er die nächste größere Straße an und dort direkt auf die Mofataxis zu, die am Straßenrand auf Kunden warten. Mit zwei Fahrern wechselt er ein paar Worte, dann gibt er Sam durch ein Nicken zu verstehen, dass es losgehen kann.

„Was dagegen?", fragt er. Sam verneint, obwohl er unwillkürlich an die Warnung seiner Mutter denken muss. Doch er schiebt die Bedenken schnell beiseite. Mums Ängste sind gewöhnlich übertrieben, warum sollte es hier anders sein? Außerdem, so eine Open-Air-Tour auf dem Rücksitz eines Mopeds ist bestimmt eine tolle Sache.

Unterwegs allerdings muss Sam sich beherrschen, um sich nicht am Fahrer festzuklammern. Jedes Mal, wenn sie sich in halsbrecherischem Tempo in die Kurve legen, wird ihm ganz anders und er gibt seiner Mutter recht, dass diese Art der Fortbewegung mordsgefährlich ist. Erst als sie den dichten Innenstadtverkehr hinter sich gelassen haben und Sam auf gerader Strecke der warme Fahrtwind um die Nase weht, fängt er an, es zu genießen. Umso mehr erschrickt er, als der Fahrer plötzlich scharf in die Bremse tritt und zur Seite lenkt. Auch das Mofa, das Jean-Claude transportiert, bleibt am Straßenrand hinter ihnen stehen.

„Was ist los?", ruft Sam.

„Hier ist was passiert", ruft Jean-Claude zurück, „und wir wollen wissen, was!"

Außer ihnen haben auch noch andere Leute angehalten. Sie stehen direkt neben einer Baustelle, wie Sam sie schon häufiger gesehen hat. Überall in der Stadt werden Durchgangsstraßen ausgebaut, damit der Verkehr ungehindert fließen kann. Auch entlang dieser Straße schlagen ganze Arbeiterkolonnen die Erde von den Steilhängen ab und heben metertiefe Gräben aus, wo das Fundament für die erweiterte Fahrspur gegossen werden soll.

Von beiden Seiten eilen Arbeiter herbei und stecken ihre Köpfe zusammen. Ein Asiat mit Helm, vermutlich ein Chinese, redet auf sie ein. Er hält einen Plan in der Hand. Aus den Autos, die am Straßenrand angehalten haben, ertönen Rufe. Jean-Claude steigt ab und spricht einen der Arbeiter an. Doch als aus der Ferne Sirenengeheul ertönt, macht er auf dem Absatz kehrt und kommt zurück.

„Da oben ist ein Erdwall abgebrochen und hat zwei Leute, die im Graben standen, unter sich verschüttet! Die Polizei ist unterwegs, also lasst uns lieber weiterfahren!"

Sam ist entsetzt. Zwei Menschen sind verschüttet und da glotzen alle nur oder reden? Nicht einer rührt sich von der Stelle, um die Männer auszugraben? Warum tut denn keiner was?!

Bevor Sam das zu Ende denken oder sogar reagieren kann, schießt sein Mofataxi schon mit ihm davon. Und am Lärm der startenden Motoren hinter ihnen hört er, dass auch andere Gaffer sich entfernen.

Das Waisenhaus liegt in einem Stadtviertel, das Kimironko ähnelt. Auch hier überwiegen die Lehmhäuser, das Waisenhaus allerdings ist aus Stein. Ein einfacher, schäbiger Kasten mit zwei Wohnflügeln, wie Sam feststellt, als seine Mutter ihn über einen großen, leeren Hof führt, zwischen dessen Mauern sich die Hitze staut. Niemand hält sich draußen auf, wahrscheinlich weil es nirgendwo auch nur den kleinsten Flecken Schatten gibt.

Nachdem Fe Jean-Claude mit einem aufgeregten Wortschwall zur Rede gestellt hatte – offensichtlich ging es um die Mofataxis –, war der, ihre Empörung schlichtweg übergehend, mit seinem Fahrer wieder abgerauscht.

„Ich stelle dich dem Direktor vor und zeige dir danach, wie unsere Kinder leben", sagt Mum, wobei ihre Stimme noch ein wenig zittert. „Der Unterricht beginnt um vier."

Unsere Kinder?

Das Büro des Direktors ist ein karger Raum, nur mit einem Tisch und zwei Stühlen möbliert: An der Rückwand hängt das Bild des Präsidenten. Als sie eintreten, erhebt sich der Direktor und kommt hinkend auf sie zu. Er ist ein zierlicher Mann mit grau meliertem Haar, dessen Mund sich lächelnd in die Breite zieht, als er Sam begrüßt. Auf Französisch. Sam entdeckt eine tiefe Narbe, die sich von der Stirn des Mannes bis zur Schädeldecke zieht. Auch er versucht zu lächeln, die Begrüßung angemessen zu erwidern. Sein Französisch reicht dafür gerade aus. Der Direktor strahlt ihn an und erkundigt sich, von Fe übersetzt, nach allem Möglichen.

Was Sam in Ruanda denn besonders gut gefalle?, fragt er zum Schluss.

Ruanda kenne er ja noch nicht. Nur Kigali. Und Kigali sei eine schöne Stadt.

Sicher sei er jetzt doch glücklich, dass er hier sein könne, oder nicht?

Doch … natürlich … ja …

Sam fühlt sich unbehaglich, und als Mum dem Direktor zu verstehen gibt, dass sie leider gehen müssten, hätte er sie vor Erleichterung umarmen können.

„Jean-Baptiste ist ein guter Mensch", sagt sie draußen. „Das Waisenhaus ist jetzt sein Leben."

„Wieso jetzt?"

„Früher war er Priester, doch das will er nicht mehr sein."

Sie beschleunigt ihren Schritt, was Sam als Zeichen wertet, dass sie nichts mehr dazu sagen möchte. So nähern sie sich einer Überdachung, in deren Schatten eine junge Frau über einen Trog gebeugt Hemden, Kleider und Hosen wäscht. Wäscheberge stapeln sich neben ihr. Als sie Sam und Fe bemerkt, blickt sie auf und lächelt.

„Bonjour, Felicitas, bonjour, Sam!"

Woher weiß sie, wer er ist?

„Bonjour, Pascaline!"

Mum teilt der Frau mit, dass sie einen Sack voll Reis und eine Staude Kochbananen mitgebracht hat. Pascalines Dank fällt überschwänglich aus. Wunderbar! Fes Freigiebigkeit sei ein Segen für die Kinder. Fe wehrt ab.

„Pascaline sorgt wie eine Mutter für unsere Kinder. Tag und Nacht ist sie für alle da", sagt sie, schon im Weitergehen, und schlägt vor, dass sie noch kurz einen Blick in die Zimmer werfen, bevor der Unterricht beginnt.

Vor dem Klassenraum hocken ein paar Kinder auf dem Boden. Als sie Fe und Sam kommen sehen, springt ein kleines Mädchen

chen auf und rennt mit ausgebreiteten Armen auf sie zu. Ihr Kopf ist völlig kahl geschoren und ihre Arme sind sehr dünn.

„Mama Jean-Claude!", schreit sie, hüpft ein paarmal auf und ab und nimmt Fe an die Hand, um sie hinter sich herzuschleppen.

„Mama Jean-Claude!", stimmen noch zwei andere Mädchen ein. Auch sie sind kahl geschoren und sehr mager und drängen sich an Fes Seite. Mit einer Traube Mädchen und Jungen an der rechten Hand öffnet sie die Tür zum Klassenzimmer. Gefolgt von weiteren Kindern und von Sam, der sich gerade fragt, ob er seinen Ohren trauen soll.

Mama Jean-Claude? Verdammt, was hat das zu bedeuten?!

„Nou Nou, bitte, sei so lieb und geh die anderen holen. Pierre und Paul und Sebastian trödeln noch vorm Tor, ich habe sie gesehen", sagt Fe auf Englisch.

Das Mädchen, das Nou Nou heißt, ist schon etwas älter, ungefähr zwölf, schätzt Sam. Auch sie hat einen Glatzkopf und trägt ein Schürzenkleid wie die jüngeren Mädchen. Ihr Gesicht ist ungeheuer ernst. Gehorsam steht sie auf, um das Klassenzimmer zu verlassen, und Fe beginnt, Blätter an die Kinder auszuteilen.

Noch ganz konfus starrt Sam die Löcher in den stark verschmutzten Wänden an, Einschusslöcher, wie es scheint, und seine Augen registrieren weitere Zeichen der Zerstörung. Abgerissene Paneele hängen von der Decke, die Fenster können nicht geöffnet werden, weil die Griffe fehlen, einige der Scheiben sind zerborsten und in einer Ecke steht ein Schrank, dessen Tür herausgebrochen ist. Ein Junge hockt darin, als ob er sich verstecken wollte. Fe lässt ihn gewähren.

Plötzlich taucht ein Bild vor Sams innerem Auge auf: Gewehre, die auf Kinder feuern. Beklommen blickt er aus dem Fenster über Wellblechdächer bis zu einem grünen Hügel, dessen sanfte Schönheit angesichts der Zeichen von Gewalt wie eine Lüge auf ihn wirkt.

Ein kleiner Junge aus der ersten Reihe läuft zur Tür, öffne
sie und blickt hinaus auf den Hof, wo sich Kinder eingefunde
haben, die mit Steinen spielen. Ein paar Sekunden nur, dann ist e
draußen und die Tür fällt hinter ihm ins Schloss. Auch ihn läss
Fe gewähren. Als Nou Nou zurückkommt und mit ihr die dre
Trödler, kann der Unterricht beginnen.

Left und *Right* steht an der Tafel, darunter Pfeile, die nac
beiden Seiten zeigen.

„*Please, show me your left hands!*", fordert Mum mit muntere
Stimme und die linken Hände fliegen hoch. „*Your right legs!*" Di
rechten Beine strecken sich aus den Bänken. „*Come to the lefthan
side of our classroom!*" Eine Wanderschaft beginnt. „*Wonderfu
And now put your fingers on your right eyes!*"

Sie macht das wirklich gut.

Mama Jean-Claude …

*Jetzt sind wir fast eine Woche hier, Enna, doch es kommt mi
schon viel länger vor. Wahrscheinlich, weil es jeden Tag so viel Neue
Fremdes zu verdauen gibt. Für jemanden wie mich, der bisher nu
das Leben in Europa kannte – ein sehr privilegiertes noch dazu! –
sind einige Erfahrungen schockierend.*

*Das Waisenhaus zum Beispiel, wo meine Mutter Englisch unter
richtet … Ich habe zwar geahnt, was mich erwarten würde, doch d
Realität ist härter, als ich es mir vorstellen konnte.*

*Wie viele Kinder eingepfercht in kleinen finsteren Zimmer
schlafen müssen, weiß ich nicht genau! Ich habe die Stockbetten, d
so eng beieinanderstehen, dass kein Spalt dazwischen bleibt, nich
gezählt.*

„Aber unsere Kinder haben wenigstens ein Bett!" (Mum)

*Alle Kinder, auch die Mädchen, sind vollkommen kahl geschore
und so dünn, als ob sie nicht genug zu essen kriegten.*

„Das beste Mittel gegen Läuse ist kein Haar auf dem Kopf! Und zu essen gibt es so viel, wie man braucht, um zu leben." (Mum)

Weder in den Räumen noch im Hof habe ich etwas gesehen, womit die Kinder spielen könnten.

„Spielzeug ist hier überflüssig. Es gibt Wichtigeres für die Kinder. Das Waisenhaus muss sich von Spendengeldern finanzieren und die reichen gerade mal für Ernährung, Bildung und Gesundheit. Die Kinder spielen trotzdem, denn sie sind sehr kreativ." (Mum)

Und das stimmt, Enna! In Mums Arbeitsgruppe waren drei Jungen, die nur aus Stöcken, Korken und irgendwelchen Abfallmaterialien tolle Fahrzeuge gebastelt hatten.

Nach dem Unterricht hat Mum mich zum Essen eingeladen. In ein typisch afrikanisches Restaurant. Auf offener Feuerstelle wurde da gegrillt und ich habe zum ersten Mal Ziegenfleisch am Spieß gegessen. Du, das könnte für den Rest der Zeit meine Lieblingsspeise werden!

Mum und ich allein – auch zum ersten Mal, seit ich in Ruanda bin. Wir waren, glaube ich, beide anfangs etwas überfordert und ich habe vor Verlegenheit ziemlich dummes Zeug dahergeredet. Aber dann, als wir warm geworden waren, habe ich die seltene Gelegenheit genutzt, alle meine Fragen loszuwerden. Fast alle jedenfalls. Und zuerst die harmlosen natürlich.

Ich habe Mum gefragt, weshalb die Kinder im Waisenhaus leben müssen. Ich dachte, vielleicht hätte es etwas mit dem zu tun, was hier vor siebzehn Jahren geschehen ist. Aber mehr als die Hälfte sind Aidswaisen. Ein anderer Teil der Kinder wurde ausgesetzt, damit sie eine Chance haben und … es gibt auch Kinder, deren Eltern lange Zeit im Gefängnis sitzen müssen, weil sie sich am Völkermord beteiligt haben und dafür verurteilt wurden …

Als Nächstes habe ich gefragt, wie es kommt, dass hier die Männer Händchen haltend durch die Gegend ziehen.

„Du denkst doch nicht etwa, sie sind schwul?", war Mums Antwort und ich fühlte mich ertappt. „Sich anzufassen ist nichts anderes

als ein Zeichen der Verbundenheit. Wenn man sich vertrauen kann –
was in Ruanda nicht so einfach ist –, hat man den Wunsch, sich aneinander festzuhalten. Übrigens Frauen tun das auch, das ist dir nur
nicht aufgefallen. Verliebte Paare allerdings eher nicht. Die halten
sich zurück, denn es gehört sich nicht, öffentlich zu zeigen, was man
füreinander fühlt."

Ja, du siehst, hier ist eine andere Welt!

Schließlich bin ich mit der Frage rausgerückt, warum Mum die
alte Frau „Mama Munyemana" nennt, obwohl sie doch nicht ihre
Mutter ist.

Es sei unter Freunden oder Nachbarn üblich, dass man eine Frau
mit Mama und dem Namen ihres ältesten Sohnes anspricht, hat sie
mir erklärt. Und Munyemana sei einmal ihr bester Freund gewesen.
Er sei zwar der jüngste Sohn von Mama Munyemana, aber Mum
wolle so die Erinnerung an ihn bewahren.

Und dann endlich habe ich mich auch getraut, die Frage auszusprechen, die mich den ganzen Nachmittag bedrückt hat. Ich habe
Mum gefragt, was es zu bedeuten hat, dass die Waisenkinder „Mama
Jean-Claude" zu ihr sagen. Denn das tun sie, Enna, stell dir das bloß
vor!

Mum hat sofort begriffen, was hinter meiner Frage steckte, und
mir versichert, dass Jean-Claude nicht ihr Sohn ist. Für die Waisenkinder sei er aber trotzdem irgendwie ihr Sohn, Verwandtschaft
spiele für sie keine Rolle mehr. Überhaupt, alle, die ihre Angehörigen
verloren haben, gehörten jetzt zu der Familie der Überlebenden.

Ich war traurig, als ich sie das sagen hörte, aber ... auch erleichtert.

Die Traurigkeit ist immer noch in mir und ich sehne mich nach
dir!

PS.1) Es gibt noch einen Grund, weshalb ich deprimiert bin
Unterwegs zum Waisenhaus wurde ich Zeuge eines Unfalls. Zwe

Arbeiter sind an einer Baustelle verschüttet worden, kurz bevor wir auf der Fahrt dort angehalten haben. Jede Menge Leute standen an der Unfallstelle tatenlos herum, aber keiner rührte einen Finger, um die Männer auszugraben. Ich frage mich seitdem, wie viel hier ein Menschenleben zählt.

PS.2) Es gab heute übrigens noch ein erstes Mal: Auf dem Rücksitz eines Mofataxis bin ich durch die Stadt gekurvt! Ziemlich abgefahren, sag ich dir, und nicht ungefährlich. Mum hat sich furchtbar aufgeregt und mir eingeschärft, es zu lassen. Aber für umgerechnet fünfzig Cents kommst du so durch die halbe Stadt, schneller auch als mit jedem anderen Fahrzeug. Und mal abgesehen davon, dass einem manchmal etwas mulmig wird, macht es auch noch Spaß!

PS.3) Eine Frage habe ich leider nicht gestellt, obwohl es die ist, von der alles abhängt! Ich habe meine Mutter nicht gefragt, ob und wann sie nach Hause kommt.

PS.4) Gute Nacht, liebe Enna! Träum schön von mir ...

VIER

Samstagabend, am Ende ihrer ersten Woche, sitzen sie bei *Chez Robert*, einem exklusiven Restaurant, das im Zentrum liegt. Zu dritt.

Dad hat am Telefon alle Register gezogen, um Mum zu überreden mitzukommen, und schließlich hat sie zugestimmt. Aber Sam bezweifelt, dass es richtig war, sie zu drängen. Obwohl sie heute fast wie früher wirkt. Oder vielleicht gerade deshalb. Sie trägt ein elegantes Kleid aus Europa und eine Kette, die Dad ihr irgendwann einmal geschenkt hat.

So passt sie hierher. Niemand von den Gästen ist afrikanisch gekleidet, nur die schönen jungen Frauen, die servieren, tragen traditionelle Gewänder und weiße, mit großen Blumen bedruckte Tücher über die Schultern gehängt. Die Gewänder sind farblich auf das Ambiente des Lokals abgestimmt, auf die dunkelroten und taubenblauen Wände, die im gedämpften Licht der Deckenlampen Wärme und Behaglichkeit ausstrahlen.

Dad hat einen Tisch auf der Terrasse direkt neben einem Teich mit Springbrunnen ausgewählt und nach einem kurzen Blick auf die Speisekarte vorgeschlagen, sich am Buffet zu bedienen, wo es eine reiche Auswahl an typischen Landesgerichten gibt. Mum zuliebe? Sam, der diese Art Buffet zur Genüge im Hotel genossen hat, hätte lieber etwas anderes gegessen, zum Beispiel wieder einen Spieß mit Ziegenfleisch, falls man den überhaupt hier kriegen konnte. Doch er wollte seinem Vater nicht in den Rücken fallen.

Bei Kerzenlicht plätschern seit fast einer Stunde der Springbrunnen und die Unterhaltung in harmlosen Gewässern vor sich in und Sam stellt fest, dass seine Eltern sich beide redlich Mühe eben. Angesichts der Fragen, die auch ihn bewegen, erscheint ım das irgendwie absurd.

Im Hintergrund läuft Michal Jacksons „Billie Jean". Sam vundert sich. Hier hätte er eigentlich eine andere Musik erwartet.

Er steht auf und geht noch einmal zum Buffet, um Mum und)ad allein zu lassen. Vielleicht nutzen sie ja die Gelegenheit und ıngen endlich an, sich auszusprechen. Reichlich Zeit lässt er sich nd ihnen, hebt noch einmal jeden Deckel der großen silbernen ›ehälter, macht die Runde sogar zweimal, auch, weil er nicht so ıchtig weiß, worauf er überhaupt noch Appetit hat. Eigentlich ist r satt.

Als er zurückkommt, mit nur etwas Salat auf seinem Teller, rkennt er an Mums Haltung, dass das Gespräch tatsächlich eine ndere Wendung nimmt.

Kerzengerade sitzt Fe da, jeder Zentimeter ihres Körpers spür- ar angespannt, und Dad, der auf sie einspricht, kippt zwischen :inen Worten Schluck für Schluck den gesamten Inhalt seines .otweinglases in sich rein.

„Du hättest dir doch wenigstens – eine Wohnung mieten önnen. Oder ein Apartment. – Ich verstehe einfach nicht, wie ı u so wohnen kannst, obwohl es doch – überhaupt nicht nötig t!"

„Mama Munyemana braucht mich, ich bin ihr verpflichtet. ie ist eine alte Freundin meiner Mutter, wie du weißt."

„Ja, natürlich. – Ich verstehe ja, dass du sie unterstützen ıöchtest, aber das – wäre doch auch möglich, ohne dass du bei ır wohnst!"

Das Glas ist leer und er füllt es sofort wieder, was Sam be- enklich findet. Wenn sein Vater in dem Tempo weitertrinkt …

„Du verstehst es eben nicht!", entgegnet Mum mit unge- ohnter Heftigkeit. „Wie denn auch?"

„Was willst du damit sagen? – Hältst du mich für so unsens
bel, dass ich mich nicht in dich hineinversetzen kann?"

„Ach, Luk, es geht doch nicht darum, ob du sensibel bist od
nicht! Das hier ist etwas, das du niemals nachvollziehen kanns
weil … nein wirklich, es geht nicht um dich!"

„Also gut, das mag ja sein, ich akzeptiere es. Aber hast du m
an Sam gedacht – an deinen Sohn? Schließlich geht es auch u
ihn!"

„Natürlich habe ich an Sam gedacht, wie kannst du mir n
diese Frage stellen! Ich …" Mum ist sichtlich aufgeregt, ringt nac
Worten.

Bevor sie weitersprechen kann, schiebt Sam seinen Teller we
„Ihr entschuldigt mich? Ich muss mal verschwinden", sagt er, w
bei er denkt: Seht doch zu, wie ihr klarkommt, und lasst mich d
raus!

Draußen vor der Tür starrt er in den klaren Nachthimmel, de
sen Lichtermeer unendlich scheint. Die Luft ist feucht und frisc
vom letzten Regenguss und der süße Duft, den er schon am erste
Abend wahrgenommen hat, steigt ihm wie Parfüm in die Nas
Er saugt ihn tief in sich hinein und beschließt im selben Auge
blick, nicht mehr an den Tisch zurückzukehren. Es wird höchs
Zeit, dass seine Eltern etwas miteinander klären, und dabei hat
nichts zu suchen, will auch nichts mehr davon mitbekommen. D
Familienabend ist also beendet, noch bevor er richtig angefange
hat.

Sam schielt auf das kleine Bretterhäuschen neben dem Ei
gangstor, wo ein junger Mann, nicht viel älter als er selbst, o
fensichtlich Wache schiebt. Stumm und regungslos beäugt
Sam, der sich dabei zunehmend unwohl fühlt und krampfha
überlegt, was er machen soll. Ins Hotel zurück will er nicht, jet
noch nicht, doch was tun mit dem angebrochenen Abend? De
jungen Mann zu fragen, was man in Kigali unternehmen kan

st wahrscheinlich sinnlos, so mürrisch, wie der wirkt. Sam zieht ein Handy aus der Hosentasche, um nachzuschauen, wie viel Uhr es ist, und entdeckt auf dem Display eine Nummer. Verblüfft stellt er fest, dass er einen Anruf von Jean-Claude verpasst hat. Unschlüssig, wie und ob er überhaupt reagieren soll, steht er eine Weile da, dreht das Handy in der Hand. Dann entschließt er sich zurückzurufen.

Eine halbe Stunde später hockt er wieder auf dem Rücksitz eines Mofataxis, das Jean-Claude zum Restaurant geschickt hat, um Sam abzuholen und zu einer Disko in der Innenstadt zu bringen.

Schon im Begriff, sich einfach zu verdrücken, war Sam noch einmal in das Restaurant zurückgekehrt, um Mum und Dad Bescheid zu sagen. Als er jedoch sah, wie sie sich schweigend gegenübersaßen, hatte er stattdessen eine Kellnerin gebeten, den beiden mitzuteilen, dass er schon gegangen sei.

Dieses Mal ist die Fahrt auf dem Mofataxi nur ein kurzer Trip. Jean-Claude steht draußen vor der Disko und nimmt Sam in Empfang. In einem leuchtend gelben T-Shirt und in weiter Jeans, die locker unterhalb der Hüfte hängt. Überhaupt wirkt er wie ausgewechselt. Kumpelhaft schlägt er Sam auf die Schulter, als sei er hellauf begeistert, ihn zu sehen.

Mit gemischten Gefühlen folgt Sam ihm in die Disko.

Die sei vor allem bei Ruandern angesagt, hat Jean-Claude am Telefon behauptet. Es gäbe zwar noch eine Disko in der Innenstadt, doch da seien überwiegend die Bazungus und die Reichen von Kigali. Der Eintritt sei entsprechend teuer.

Wenn schon, denn schon!, denkt Sam, obwohl ihm das, worauf er sich da einlässt, wie ein Sprung ins kalte Wasser vorkommt.

Gleich nachdem sie den großen, verspiegelten Saal betreten haben, werden die beiden von Jean-Claudes Freunden umringt, die direkt hinter der Tür auf ihre Ankunft gelauert haben und

Sam lautstark mit Hallo begrüßen, als ob er immer schon dazugehörte. Sofort wird er mit Fragen bombardiert, unterbrochen von Gelächter, weil die meisten nicht gut Englisch können und, immer wenn die Worte fehlen, Gesten oder Mimik sprechen lassen, was ungewollt oder auch gewollt komisch wirkt. Wie das Leben in Europa ist, wollen alle von ihm wissen. Allgemein und im Detail! Sam gibt sein Bestes, um ihre Neugier zu befriedigen.

Der Saal ist bis in den letzten Winkel gefüllt mit jungen Leuten. Alle stehen herum, reden, trinken Bier, nur wenige tanzen schon. Sam kann nirgendwo jemanden mit heller Haut entdecken. Aber das ist auch schon alles, worin diese Disko sich von denen unterscheidet, die er kennt. Sogar die Musik scheint dieselbe, aus den USA und Europa importiert, die ganze Zeit ist Hip-Hop oder Reggae zu hören und die Bässe dröhnen überlaut. Sam brüllt dagegen an wie alle anderen, trinkt jede Menge Bier und wird allmählich angesteckt von der allgemeinen Unbekümmertheit.

Zu später Stunde erst gerät der Saal wie auf Knopfdruck in Bewegung. „Single Ladies" von Beyoncé wird gespielt und es wirkt, als seien alle plötzlich unter Strom. Sam bleibt am Rand, er traut sich nicht, schon gar nicht, weil er sieht, dass Tanzen hier etwas völlig anderes ist. Die Bewegungen wirken nicht einstudiert, sondern kraftvoll und natürlich und der Rhythmus geht vollkommen darin auf. Unwillkürlich geht ihm durch den Sinn, dass die Musik nicht aus den USA oder aus Europa importiert ist, wie er zuerst dachte. Nein, es ist umgekehrt! Sie ist dahin zurückgekehrt, wo sie schon immer ihren Ursprung hatte. Und zu denen, die zu ihr gehören.

Hier ist Afrika.

„Komm!", ruft Jean-Claude, tanzt an Sam vorbei und winkt. Nur noch ein kurzer Augenblick des Zögerns, dann gibt Sam sich endlich einen Ruck, stürzt sich ins Gewimmel und beginnt zu tanzen, tanzt für sich allein, jedoch angesteckt und getragen von ler Menge. Und mitgerissen vom Bewegungsfluss der anderen, ühlt er, dass auch er etwas davon in sich hat.

Liebe Enna,

ich bin im Hotel, sitze im Garten, wo ausnahmsweise kaum was os ist, und nutze eine Regenpause. Es ist Mittagszeit, die anderen Gäste sind beim Essen oder unterwegs. In letzter Zeit war ich tagsiber meist bei meiner Mutter, das heißt, bei Jean-Claude und seiner Großmutter und so in Mums Nähe.

Seit zwei Tagen ist mein Vater nicht mehr da. Überstürzt hat r sich entschieden, eine kleine Rundreise durchs Land zu unternehmen. Zum Kivusee und zum Vulkan-Nationalpark, wo die Berggorillas leben.

Weißt du was? Verdammt nach Flucht hat das für mich ausgesehen und nur als Reiselust getarnt. Ich glaube, Dad kommt überhaupt nicht damit klar, dass Mum sich weigert, mit uns im Hotel zu wohnen, und dass sie sich ihm gegenüber nach wie vor kühl und abweisend verhält. Eigentlich komme ich auch nicht klar damit. Obwohl ich sie irgendwie auch verstehen kann. Dieser ganze Luxus im Hotel passt einfach nicht zu dem, wie sie hier lebt und was sie tut. Die Waisen, die sie unterrichtet, haben ja gerade mal das Allernötigste zum Leben. — Jetzt, wo mein Vater unterwegs ist, könnte ich eigentlich genauso gut zu ihr. Auch wenn es vielleicht etwas schwierig wäre. In einem abbruchreifen Haus und zu zweit in einem kleinen Zimmer, wo ich auf dem Boden schlafen müsste. Trotzdem wäre ich bereit dazu, wenn sie sagen würde, dass ich kommen soll. Doch sie sagt es nicht.

Natürlich hätte ich auch Lust gehabt, mir die Gorillas anzusehen. Wir haben aber nur noch eine gute Woche und die brauche ich unbedingt für Mum. Für alles, was hier um sie herum und allem Anschein nach so furchtbar wichtig für sie ist. Bevor wir (das hoffe ich trotz allem!) zusammen nach Hause fliegen.

Bisher hat sie sich noch nicht dazu geäußert und täglich warte ich darauf, dass sie endlich sagt, wie es weitergehen soll.

Meine Mutter kommt mir anders, viel lebendiger und stärker vor. Das gefällt mir, ehrlich!, aber … Wie soll ich sagen? Wenn es bedeutet, dass es ihr jetzt besser geht, ist das natürlich gut. Doch es könnte ja auch heißen, dass es ihr nur <u>hier</u> besser geht, und dann …

Hi, Enna, ich bin's wieder, jetzt ist Mitternacht!

Vor ein paar Tagen habe ich in einem Buchladen in der Stadt (es gibt nur zwei) ein Wörterbuch gekauft. Kinyarwanda – Englisch (ziemlich teuer) Nicht um Kinyarwanda zu lernen, das wäre sowieso aussichtslos (schon die Aussprache ist für mich ein Ding der Unmöglichkeit!), nein, nur um einen Einblick zu bekommen, wie die Sprache funktioniert. Wenn ich hier die Leute reden höre, vor allen meine Mutter, klingt es fremd, aber auch vertraut, wie etwas, das ich einmal gut gekannt, jedoch komplett vergessen habe. Wahrscheinlich liegt es daran, dass meine Mutter, als ich klein war, manchmal so mit mir gesprochen hat. Später dann nicht mehr. Später nur noch Englisch oder Deutsch. Schade eigentlich. – Vor meiner Nase stehen drei (leere!!!) Bananenbierflaschen. Frag mich nicht, warum ich die alle ausgetrunken habe, obwohl das Zeug eklig süß schmeckt und nur wirklich nicht mein Ding ist! – Im Augenblick bin ich total benebelt, aber wie es aussieht, wollte ich wohl dieses Feeling: Die Sprache schmecken mit Bananenbier in meinen Adern.

Eben habe ich im Wörterbuch ein bisschen rumgeblättert, um etwas für dich aufzuschreiben. Eine gute Nachricht. Weißt du, was mir aufgefallen ist? Es war schwierig, etwas Passendes zu finden, weil – so kam es mir zumindest vor – die negativen Wörter überwiegen. Wörter zum Beispiel, die schlechte Gefühle und Erfahrungen beschreiben. Oder schlimme Taten. Nein, wirklich, ich bilde mir das nicht nur ein!

Kann es vielleicht sein, dass die schreckliche Geschichte dieses

andes nach und nach auch in die Sprache eingesickert ist? Natürlich
t es nur so ein Gedanke, den ich nicht beweisen kann! Und noch
twas anderes habe ich bemerkt: Kinyarwanda scheint eine sehr viel-
eutige Sprache zu sein. Zum Beispiel gibt es Wörter mit mehreren
Bedeutungen, sogar welche, die sich widersprechen. Oder mehrere
Wörter, die dasselbe meinen. Ganz schön kompliziert, kann ich dir
agen. Die Grammatik scheint in den Vorsilben zu liegen … wie,
abe ich noch nicht rausgekriegt. Ich werde Mum danach fragen. Sie
t ja das Sprachgenie.

Und hier nun das, was ich für dich gefunden habe:

kw	<u>i</u> zera	hoffen, vertrauen
igi	<u>c</u> uku	Mitternacht
igi	<u>h</u> imbano	Fantasie, neues Lied

li	<u>m</u> we	eins, zusammen
kw	<u>a</u> rika	ein Nest bauen
ubu	<u>g</u> ingo	langes Leben

iki	<u>d</u> ogo	reden, plaudern
urw	<u>i</u> butso	Erinnerung
ubu	<u>c</u> uti	Freundschaft
gu	<u>h</u> imbika	ein großes Feuer machen, um sich zu
		wärmen, unwahrscheinlich schön sein

Sorry, es ist ziemlich schief geworden und natürlich gehören die
Lücken nicht in die Wörter. Die habe ich da reingesetzt, damit du
meine Botschaft (Mitte senkrecht) lesen kannst. Und Enna, glaub
mir, es ist nicht das Bananenbier!

PS.: Tanzt du eigentlich gern? Dann könnten wir, wenn ich wieder da bin, mal zusammen tanzen gehen, was meinst du?

FÜNF

Sam hat Jean-Claude am Telefon gefragt, wo man am besten eine kurze Hose kaufen könne.

Seit dem Diskoabend ist der Bann gebrochen und es bahnt sich etwas zwischen ihnen an, etwas Wichtiges, das Sam noch nicht so richtig fassen kann. Es wäre schön, wenn sie Freunde würden – über seine Zeit in Afrika hinaus, das wünscht er sich, obwohl … Etwas nagt an ihm, was er sich nur ungern eingesteht, weil es ihm peinlich ist. Er ist nämlich eifersüchtig wie ein kleines Kind! Darauf, dass Jean-Claude mit Mum unter einem Dach wohnt, auf die Art und Weise, wie die beiden sich verstehen, auch wenn es manchmal zwischen ihnen kracht, ja, sogar darauf, dass es kracht und Mum dabei so normal reagiert, wie Sam es von den Müttern seiner Freunde kennt. Auch von Helen. Und wie er selbst es nie erfahren hat.

„Wir gehen zum Isoko", sagt Jean-Claude, als er Sam vom Hotel abholt. Diesmal wartet er nicht draußen, sondern in der Eingangshalle.

„Zum Isoko?"

„Der größte Markt in der Stadt, wo du haufenweise kurze Hosen kaufen kannst. Und alles andere auch. Ich brauche T-Shirts. Nehmen wir ein Mofataxi?" Jean-Claude grinst verschwörerisch, was Sam sofort erwidert, wobei er unwillkürlich denkt: Mit einem Bruder oder einer Schwester wäre es vielleicht schon früher so gewesen.

Die schnelle Kurvenfahrt um den Stadtverkehr herum macht ihm kaum noch etwas aus, im Gegenteil, als sie ihr Ziel nach kurzer Zeit erreichen, ist er high. Er drückt seinem Fahrer fast das Doppelte vom Fahrpreis in die Hand, was ihm immer noch lächerlich wenig erscheint. Der Fahrer strahlt ihn an, von Jean-Claude dagegen erntet Sam einen bitterbösen Blick. Ihm ist klar, warum. Du verdirbst die Preise!, sagt der Blick, doch in dem Moment ist es Sam egal.

Sie sind unterhalb eines Hügels angekommen, der mit unzähligen kleinen Bretterbuden übersät ist. Eine riesige, lückenlose Barackenfläche dehnt sich auf der Kuppe aus, zu der ein breiter Weg hinaufführt, beiderseits gesäumt von Ständen, wo Lederwaren aller Art, Gürtel, Schuhe, Taschen angeboten werden. Unterwegs möchte Sam manchmal stehen bleiben, um die Angebote zu vergleichen, doch Jean-Claude zieht ihn energisch weiter.

„Vergiss es!", sagt er. „Viel zu teuer. Das ist nur was für Touristen."

Als Sam seine Kamera aus dem Rucksack holen will, weist ihn Jean-Claude erneut zurecht: „Die steckst du besser gleich wieder ein! Sonst bist du sie los."

Sam fängt an, sich zu ärgern, aber er gehorcht.

Erst als sie das dunkle Labyrinth des Marktes betreten, wird ihm klar, dass Jean-Claude für seine Vorsicht gute Gründe haben könnte. An Kleiderbergen vorbei, die in verstaubten Regalen und auf notdürftig zusammengezimmerten Brettertischen meterhoch gestapelt sind, schieben sie sich durch einen der engen Gänge. Gleich mehrere Verkäufer stürzen auf sie zu und aus einem Meer von Worten, das Sam überschwemmt, löst sich für ihn erkennbar immer nur das eine: *Bazungu, Bazungu …* als tanze es ganz oben auf dem Wellenkamm. Hände strecken sich nach ihm aus, trotzdem braucht er eine Weile, bis er begreift, dass mit *Bazungu* er gemeint ist und er ein begehrter Kunde ist.

Jean-Claude starrt grimmig geradeaus, während sie so schnell wie möglich weitergehen. Die Kleiderbuden nehmen überhaupt kein Ende, Sams Augen quellen über und er fragt sich, wer das alles kaufen soll. Als ein Verkäufer ein paar Bügel mit Herrenhemden von der Stange reißt, um sie Sam, lautstark auf ihn einpalavernd, direkt unter die Nase zu halten, wird es Jean-Claude zu bunt. Wütend brüllt er los, bis der Mann sich verzieht.

„Komm, die Hosen sind woanders!", blafft Jean-Claude Sam genauso wütend an.

„Du wolltest doch T-Shirts kaufen", wagt Sam vorsichtig einzuwenden. Ihm dämmert, dass auf diesem Markt alles streng sortiert ist und sie sich gerade in der Spezialabteilung für Hemden oder T-Shirts befinden.

„Das mach ich lieber ohne dich", knurrt Jean-Claude.

Sam schluckt die Abfuhr, ohne etwas zu entgegnen. Am liebsten hätte er auch auf den Hosenkauf verzichtet, doch er fürchtet, dass Jean-Claude sich noch mehr aufregt, wenn er ihm das zu verstehen gibt. Sie verlassen die Barackenunterwelt der T-Shirt- und Hemdenverkäufer, tauchen kurz ins Freie auf, wo sie von grellem Sonnenlicht geblendet werden, bevor es in die nächste dunkle Höhle geht. Jean-Claude spricht einen Mann an, der am Eingang steht. Mit seiner Nickelbrille auf der Nasenspitze wirkt er wie ein Lehrer, findet Sam. Es stellt sich heraus, dass der Mann eine Art Einkaufsführer ist, der sie auf direktem Weg zu den Hosen bringen kann und auch weiß, wo sie besonders günstig sind. Natürlich will er dafür ein paar Francs, tausend ungefähr, erklärt Jean-Claude. Sam zuckt mit den Schultern, nickt. Ihm ist inzwischen alles recht. Er hat nur einen Wunsch, die Sache möglichst schnell hinter sich zu bringen. Der Mann schüttelt ihm die Hand, was wohl bedeuten soll, dass sie handelseinig sind.

Sam ist heilfroh, dass sie sich für den Guide entschieden haben. Der Mann wehrt den Ansturm der Verkäufer ab und steuert zielgerichtet einen Stand an, wo eine kleine dicke Frau ihn schon zu erwarten scheint. Sie wechseln ein paar Worte, es wirkt sehr vertraut.

„Hier gut und billig!", sagt der Guide.

Aus einem dicken Stapel zieht die Frau einen Haufen kurzer Hosen, verschiedene Größen, alle sauber, aber nicht mehr neu und die meisten längst nicht mehr modern. Sie hält Sam eine nach der anderen hin, sichtlich stolz auf das, was sie zu bieten hat. Sam windet sich, er will die Frau nicht kränken. „No, thank you!", sagt er jedes Mal.

„Was willst du denn?", fragt Jean-Claude.

„Weiß ich nicht genau, auf keinen Fall was Buntes. Und nicht zu kurz soll sie sein."

Jean-Claude übersetzt, die Frau nickt übereifrig und beginnt zu wühlen, bis sie eine weitere Auswahl präsentieren kann. Verschiedene Größen immer noch, doch nichts Buntes mehr dabei. Sam greift nach einer Kakihose im Safaristil, hält sie sich an die Hüfte, um zu sehen, ob sie passen könnte.

„Du probieren?", fragt der Guide.

Heftig schüttelt Sam den Kopf. Nicht auch das noch unter all den Augen, die neugierig auf ihn gerichtet sind! Die Entscheidung für die Hose ist gefallen und er hofft, dass nun alles schnell erledigt ist. Aber jetzt geht es erst richtig los! Die Frau nimmt einen Zettel, schreibt etwas darauf und hält ihn hoch. 5000. Sam überschlägt, wie viel das ist. Nicht mal zehn Euro, nur ein bisschen mehr als sechs, das ist okay, sogar sehr günstig, findet er. Er will sein Portemonnaie aus der Hosentasche ziehen und bezahlen, doch Jean-Claude fährt vehement dazwischen. Er schnauft verächtlich, tippt sich an die Stirn und tut so, als ob er gehen will. Da kommt der Guide in Fahrt. Er hält Jean-Claude zurück und beginnt auf die Frau einzureden, die ihrerseits nicht auf den Mund gefallen ist. Schließlich mischt auch Jean-Claude sich ein und es geht heftig hin und her. Sam kann nur ahnen, dass hier um jeden einzelnen Cent gefeilscht wird. Endlich schreibt die Frau eine neue Summe auf: 2000, und ihr Blick, auf Sam gerichtet, scheint zu sagen: Dies ist mein letztes Angebot! Jean-Claude, der offenbar mit dem Preis immer noch unzufrieden ist, setzt zu einer Antwort an, aber Sam hat genug.

„Okay!", sagt er und zückt sein Portemonnaie, um dreitausend Francs zu entnehmen. Zweitausend überreicht er der Verkäuferin, tausend wandern an den Guide. „Komm!", drängt er Jean-Claude, als die Frau beginnt, eine laute Dankeshymne anzustimmen, nimmt die Hose, winkt nur kurz und ergreift die Flucht.

„Ich soll noch Reis und Zucker für Nyogoku kaufen", erklärt Jean-Claude, als sie wieder draußen sind. Der Lebensmittelmarkt liege aber auf der anderen Seite und es sei bis dahin noch ein ziemlich weites Stück zu Fuß. Am liebsten würde Sam mit ihm darüber diskutieren, wie gnadenlos er dieses Feilschen findet und warum er sich jetzt wie ein Ausbeuter fühlt, doch er zieht es vor den Mund zu halten, um Jean-Claude nicht noch mehr gegen sich aufzubringen.

Auf dem Weg, der sich tatsächlich in die Länge zieht, wird das ganze Ausmaß der Barackenfläche sichtbar. Sam stellt sich die unzählbaren Menschen vor, die den Tag da drinnen verbringen und vielleicht ohne Lohn nach Hause gehen müssen, und fühlt sich bedrückt.

Doch als sie den Lebensmittelmarkt erreichen, hellt sich seine düstere Stimmung augenblicklich auf. Hier ist alles so, wie er es von einem Markt in Afrika erwartet hat! In einer riesigen überdachten Halle, die nach allen Seiten offen ist, türmen sich auf dem Boden oder auf ellenlangen Tresen Obst- und Gemüseberge, Süßkartoffeln, Kochbananen, Avocados … Berge von Bohnen, Mehl und Reis. Alles, was man sich nur denken kann – in Überfülle!

Es sind vor allem Frauen, die hinter ihren Waren stehen oder zwischen dicken Säcken auf der Erde hocken. Die Turbane auf ih-

en Köpfen leuchten in warmen Farben. Jean-Claude geht schnel-
er, er scheint ein bestimmtes Ziel zu haben.

Am Rand der Halle schlägt ihnen Fischgestank entgegen,
mit dem Dunst von rohem Fleisch vermischt, von Früchten, de-
en Reife überschritten ist. Schweiß- und Tiergeruch vermengen
ich. Sam hört Hühner gackern, irgendwo auch Ziegen blöken. In
der Wärme ballt sich alles so massiv zusammen, dass er versucht
st, sich die Nase zuzuhalten. Ein ganzer Schwarm kleiner Fische,
deren Körper regenbogenfarben in der Sonne schillern, liegt auf
einem Tisch, Fliegenscharen machen sich darüber her. Bei diesem
Anblick schaltet sich Sams drittes Auge ein.

Er bittet Jean-Claude vorauszugehen, kramt die Kamera aus
dem Rucksack und knipst wild drauflos. Begeistert nimmt er alles
auf, was ihm gerade vor die Linse kommt. Eine Frau fällt ihm ins
Auge, deren Kleid – orange und gelb gemustert – sich vom dunk-
en Grün einer großen Kochbananenstaude abhebt. Zu ihren Füßen krabbelt ein fast nacktes Baby. Sam hält die Kamera auf die
beiden, knipst und knipst und kaut vor Eifer an der Unterlippe,
als ihn plötzlich ein brutaler Stoß von hinten auf den Boden wirft.
Er stürzt auf die Knie, die sofort wie Feuer brennen! Was ist los?,
denkt er verwirrt. Gleich darauf wird er gepackt und durchgerüt-
elt, die Kamera wird ihm aus der Hand gerissen, dann prasseln
harte Hiebe auf ihn nieder, von wütendem Gebrüll begleitet. Die
Kamera ist weg!, denkt er als Nächstes, bevor blanke Panik ihn
erfasst und er nicht mehr denken kann. Instinktiv verschränkt er
beide Arme über dem Kopf, um weitere Schläge abzuwehren, und
hört sich selbst um Hilfe schreien. Der Gedanke an Jean-Claude
st wie jeder andere völlig ausgelöscht!

Die Schläge lassen nach, das Gebrüll verstummt, geht in ein
Schimpfen über, sodass Sam nach einer Weile seine Arme sinken
lässt und vorsichtig nach oben blickt.

Zwei Jungen stehen vor ihm, jünger als er selbst. Beide feuern mit den Augen Blitze ab und schimpfen unentwegt auf ihn ein. Einer fuchtelt mit der Kamera vor seinen Augen. Inzwischen haben ein paar Leute ihren Stand verlassen, Marktbesucher halten an, bilden einen Halbkreis um den Schauplatz, eine dichte Menschenwand aus bösen Blicken.

Was wollen die von ihm und warum sind die Jungen mit der Kamera nicht abgehauen?

In diesem Moment drängt sich Jean-Claude durch die Wand, in jeder Hand einen kleinen Sack. Als er Sam am Boden sieht, huscht ein Ausdruck des Erschreckens über sein Gesicht ... oder sogar Angst. Sam braucht ein paar Sekunden, bis er sich endlich traut aufzustehen. Ihm tut alles weh.

Jean-Claude setzt die Säcke ab und spricht die Jungen an, wobei er eine Hand fordernd nach der Kamera ausstreckt, doch der Junge, der sie hat, presst sie an sich und entgegnet etwas, sichtlich aufgebracht. Jean-Claude nickt dazu ein paarmal, als ob er einverstanden sei.

„Wie konntest du so dumm sein, ihre Mutter zu fotografieren?!", faucht er Sam an. „Und auch noch, ohne sie zu fragen!"

Sam senkt den Kopf. Schlagartig wird ihm klar, dass er sich nicht nur dumm verhalten hat, sondern vor allen Dingen respektlos!

„Ich schlage den beiden vor, dass sie den Speicherchip haben können", sagt Jean-Claude, „und hoffe, sie verstehen es!" Ohne Sams Einverständnis abzuwarten, wendet er sich wieder an die Jungen. Eine Zeit lang geht es hitzig hin und her, der eine Junge hält die Kamera weiterhin umklammert, aber schließlich händigt er sie widerwillig aus. Jean-Claude entnimmt ihr den Chip und reicht ihn dem Jungen.

„Das war's", sagt er zu Sam. Mehr nicht, auch nicht, als sie bereits auf dem Rückweg sind.

Sam ist ihm dankbar, nicht nur für sein Schweigen. Noch

mmer völlig fassungslos über das, was ihm gerade widerfahren
st, horcht er in sich hinein. Aus einem Wirrwarr der Gefühle –
Scham, Erleichterung und Angst – löst sich in aller Klarheit ein
Gedanke: Die Kamera ist gerettet, aber solange er in Afrika ist,
wird er sie sicher nicht mehr benutzen!

*... diese Sache werde ich nie vergessen, Enna, und du kannst
dir bestimmt vorstellen, dass mir die Lust am Fotografieren gänzlich
vergangen ist! Denn selbst, wenn ich nur noch Landschaftsbilder oder
Stadtansichten knipsen würde, könnte es passieren, dass mir irgendwer versehentlich ins Bild gerät. Und das scheint der wunde Punkt zu
sein. Die Leute hier denken, dass wir Bazungus (Reichen, Fremde)
die Fotos irgendwo verkaufen und richtig Kohle damit machen. Tut
ihr das?, hat mich Jean-Claude gefragt. Wie du siehst, scheint selbst er
mir nicht zu trauen ... Und außerdem glauben viele Leute, dass man
mit dem Apparat ihre Seelen fangen will oder so, sie haben einfach
Angst davor. Das verstehe ich schon besser, obwohl hier, zumindest in
Kigali, das Jahr 2011 doch schon angekommen ist. Wie es scheint, eben
nicht bei allen, oder sogar bei den meisten nicht.*

*Mum habe ich von der ganzen Sache nichts erzählt. Du kennst
ja ihre Angst um mich!*

*Dass man jemanden auf offener Straße einfach niederschlägt und
alle anderen stehen seelenruhig dabei, ja, halten sogar zu den Tätern
... es fällt mir schwer, das zu verstehen. Ich würde meine Mutter
wirklich gern mal fragen, wie sie damit klarkommt, ich meine, mit
der immer noch herrschenden Gewalt – auch wenn Ruanda eines der
sichersten Länder Afrikas sein soll. Ich jedenfalls spüre überall, dass es
noch brodelt, und für mich wäre das ein Grund, ein Leben in Europa
vorzuziehen. Obwohl ... in Europa kann es einem auch passieren,
dass man auf offener Straße von irgendwelchen Schlägern angegriffen
wird. Mir vielleicht sogar besonders, wenn ich es genau bedenke.*

Hier rufen sie „Bazungu" und in Deutschland manchmal „Neger". Man könnte drüber lachen. Oder weinen. Je nachdem, wie man es nimmt! Weiß oder schwarz? Was bin ich, Enna? Kannst du mir das sagen?

Erinnerst du dich noch daran, dass du mich mal gefragt hast, ob es mich denn gar nicht stört, wie du bist? Heute würde ich dir umgekehrt gern dieselbe Frage stellen. Damit du mir natürlich auch dieselbe Antwort gibst! Und überhaupt ... mir ginge es viel besser, wenn du bei mir wärst! Du fehlst mir mehr, als ich dir sagen kann.

Das kriegst du heute Schwarz auf Weiß von einem, der zwischen allen Stühlen hockt und sich ohne dich total verloren fühlt ...

PS.: Für umgerechnet zwei Euro fünfzig habe ich mir auf dem Isoko, dem größten Markt von Kigali, eine kurze Hose gekauft. Sie ist gar nicht mal so schlecht, trotzdem denke ich, dass ich sie nicht tragen werde. Weißt du, die Leute sitzen da auf unseren Altkleiderbergen und bringen sich fast um, für einen Hungerlohn etwas davon loszuwerden. Auch danach möchte ich meine Mutter fragen: Ob sie schon mal auf diesem Markt gewesen ist. In ihrem Schrank in Deutschland hängt nämlich noch jede Menge Zeug, das mehr als das Hundertfache von dem gekostet hat, was man auf dem Isoko dafür kriegt.

Ich bin's schon wieder, Enna! Was machst du gerade?

Vor ein paar Minuten bin ich vom Abendessen zurückgekommen. Pappsatt, müde und kaputt von den Ereignissen des Tages. Wie immer war das Essen gut und viel. Es gab gebratenes Huhn, superknusprig, superlecker, überhaupt nicht zu vergleichen mit unseren Fließbandgockeln aus der Massenhaltung! Die Hühner kommen hier frisch geschlachtet auf den Tisch, wegen der Wärme, vermute ich. Ich habe selbst gesehen, wie sie lebendig angeliefert wurden. Aber eigentlich will ich dir noch etwas anderes erzählen. Als Ergänzung zu der Marktgeschichte.

Vor Kurzem habe ich ein Mädchen kennengelernt, die hier im

Hotel ausgebildet wird und im Service arbeitet. Sie heißt Claire, ist genauso alt wie du und ich. Das ist aber auch das Einzige, was sie mit uns gemeinsam hat.

Ihr Arbeitstag fängt um 5.00 Uhr morgens an und endet manchmal erst gegen 3.00 nachts. Und das für einen Monatslohn von 24 000 Francs, was umgerechnet 30!!! Euro sind. Ich fass es nicht. Dabei gehört sie noch zu den Privilegierten! Immerhin hat sie ja Arbeit und verdient etwas. Mit ihrer Schwester teilt sie sich ein Zimmer ganz in der Nähe vom Hotel, damit sie es zu Fuß erreichen kann.

Manchmal, wenn sie nicht so viel zu tun hat, redet sie mit mir. Über dies und das. Fragt mich nach Europa aus. Sie spricht sehr gut Englisch, klar, sie muss sich ja mit den Gästen unterhalten können. Ich staune jeden Tag über sie. Nie wirkt sie müde, immer ist sie freundlich und geduldig, meistens lächelt sie sogar. Wie schafft sie das? Hübsch ist sie außerdem wie viele Mädchen hier.

Ja, Enna, zugegeben, es gibt wirklich viele hübsche Mädchen hier, doch die haben leider alle einen Fehler, der entscheidend ist: Sie sind nicht du!

Ich nehme gleich eine kalte Dusche, um meinen Kopf zu kühlen und die blauen Flecken. Dann gehe ich ins Bett, schnappe meine Decke und umarme sie.

In Ermangelung von ... du weißt schon was!

SECHS

Am Sonntagmorgen machen sich Sam und Jean-Claude auf den Weg nach Gisozi. Die Erinnerungsstätte für den Völkermord liegt auf einem Hügel mitten in der Stadt. Zweihundertfünfzigtausend sollen hier begraben sein, unter ihnen auch Fes Mutter, Schwestern und Verwandte.

Es war Mums Idee. Sie hat Sam dorthin geschickt und Jean-Claude gebeten mitzugehen. Sie selbst konnte nicht, oder vielleicht wollte sie auch nicht, jedenfalls ist sie noch nicht da gewesen.

„Geh du!", hat sie gesagt. „Sie sind vermutlich alle da. Vielleicht hilft es dir ja zu verstehen."

Es ist ein Anfang, immerhin. Und vielleicht ist seine Mutter ja danach bereit, endlich über die Vergangenheit zu reden.

Ein schöner Ort ist Gisozi – so Sams erster Eindruck, als sie dort ankommen –, ein neues, helles Gebäude umgeben von gepflegten Gärten. Zuerst müssen sie zu einem kleinen weißen Pförtnerhäuschen, wo zwei Uniformierte ihre Ausweise und Sams Rucksack gründlich kontrollieren. Obwohl Sam nur sein Portemonnaie, das Notizbuch und eine Regenjacke eingesteckt hat, fühlt er sich nicht wohl bei der Prozedur und ist erleichtert, als sie gehen können.

Auf dem Weg über den großen, sonnenhellen Vorplatz knirscht es unter ihren Füßen. Überlaut erscheint Sam das Geräusch.

„Wo sind sie?", fragt er und meint die Massengräber.

Er muss sich zwingen, Jean-Claude bei der Frage anzusehen. Weil dessen Schwestern und Mutter auch dort sind und seit dem letzten Jahr sein Vater, der zuvor im Hof des Hauses begraben war.

„Komm mit!" Jean-Claude geht einfach weiter. Durch einen Garten und dann über eine Treppe hinunter auf ein Plateau.

„Hier!", sagt er.

Massengräber hätte sich Sam, wenn überhaupt, ganz anders vorgestellt, jedenfalls nicht so. Es sind riesige Betonplatten, vom Staub der roten Erde getönt, eine von ihnen hat ein großes Fenster, aber nur symbolisch, man kann zumindest nicht nach unten blicken. Die Öffnung, mit weiß-violetten Satintüchern ausgekleidet, enthält ein Kreuz. Auf den Platten liegen vereinzelt ein paar Blumensträuße, zum Teil schon vertrocknet. Ganz verloren wirken sie. Und über allem breitet sich der strahlend blaue Himmel aus.

Jean-Claude setzt sich wieder in Bewegung, um mit ausdrucksloser Miene eine zweite Treppe hinabzugehen, über die sie zu einem weiteren Grab gelangen, das offensichtlich neu ist. Es ist mit einer riesigen, eisernen Klappe versehen – Sam muss unwillkürlich an Container denken –, die man öffnen kann.

Die Klappe sei für die Toten, die woanders noch ausgegraben werden, erklärt Jean-Claude. Wie auch sein Vater Munyemana vor nicht langer Zeit.

Über das Grab hinweg blickt Sam zum gegenüberliegenden Hügel, auf einen der ärmeren Teile Kigalis, wo dicht an dicht die Lehmhäuser stehen. Das Hupen der Autos in der Ferne übertönt die Friedhofsstille und er fragt sich, ob man in dieser Stadt, ohne es zu ahnen, über Leichen geht.

Menschen sind auf der Straße oberhalb der Gedenkstätte unterwegs, an den Gräbern vorbei. Keinen Blick wenden sie zur Seite, nur geradeaus schauen sie. In das neue Ruanda, das jetzt überall verkündet wird. Sam fragt sich auch, ob seine Mutter vielleicht deshalb zurückgegangen ist: Um dabei zu sein, wenn das

Land seinen Weg in die Zukunft geht. Wo aber kann er in Gisozi diejenigen finden, die einmal zu ihr gehörten?

„Eure Leute sind wahrscheinlich oben", sagt Jean-Claude, als hätte Sam die Frage ausgesprochen.

Sie kehren zu den ersten Gräbern zurück. Eine lange schwarze Wand führt daran entlang, mit Namenslisten in weißer Schrift. Endlos viele Namen sind es, doch natürlich nicht zweihundertfünfzigtausend. Zweihundertfünfzigtausend! Die Vorstellung, was es bedeutet, wenn so viele auf so kleinem Raum begraben sind, lässt Sam nicht mehr los. Und unter ihnen die Familie seiner Mutter. Seine afrikanische Familie, von der er kaum etwas weiß und die er nie kennenlernen wird. Mums Mutter und ihre beiden Schwestern. Wahrscheinlich Tanten, Onkel, Cousins und Cousinen. Mums Nichten oder Neffen. Sams Cousins und Cousinen. Vielleicht wären sie ja jetzt ungefähr so alt wie er … Früher hat es ihm nichts ausgemacht, dass sie nur zu dritt waren: Vater, Mutter, Kind. Auch die Eltern seines Vaters sind schon lange tot und Geschwister gibt es nicht. Hier aber macht es ihm plötzlich etwas aus, ungeheuer viel sogar.

„Kennst du vielleicht ihre Namen, ich meine die von denen, die zu Mum gehören?", fragt er. In der Hoffnung, wenigstens einen von ihnen zu finden, ist er bereit, alle Listen durchzugehen, egal, wie lange es auch dauern würde! Doch Jean-Claude schüttelt nur den Kopf und schweigt.

„Wie kann man so was aushalten?", fragt Sam, weil er selbst es kaum aushält. Jean-Claude zuckt mit den Achseln, als ob es nicht so wichtig wäre.

„Was glaubst du denn, was ich gesehen habe?", erwidert er und seine Worte klingen fast verächtlich.

Sam durchschaut ihn nicht. Ebenso wenig, wie er seine Mutter durchschaut. Jean-Claude ist ein netter Typ, immer freundlich und hilfsbereit, manchmal kann er richtig witzig sein, sogar völlig abgedreht, dann aber tut er wieder so von oben herab, als ob er über allem stünde. Wie auch jetzt.

Es ist ein furchtbar trauriger Ort. Steinplatten und endlose Namenslisten, die einem nichts sagen, weil man keinen der Menschen gekannt hat. Sam weiß nur, dass sie tot sind, brutal ermordet, und alles erscheint ihm sinnlos. Auf einmal beißen sich Tränen in seinen Augen fest, schnell senkt er den Kopf, damit Jean-Claude es nicht mitbekommt. Und da sieht er sie.

Nur etwa einen Meter entfernt eine Lilie, die wie ein leuchtend gelber Stern für sich allein im Gras blüht. Er hat keine Ahnung, wieso, aber in diesem Moment muss Sam an seine Mutter denken, die als Einzige ihrer Familie überlebt hat, und plötzlich hat er das Gefühl, dass sie neben ihm steht, zum Greifen nah und doch unerreichbar, weil er sie nicht anrühren darf.

„Lass uns reingehen!", murmelt er, wendet sich schnell ab und geht voraus. Die Tränen, die er nicht mehr zurückhalten kann, wischt er verstohlen weg.

Am Eingang zu den Ausstellungsräumen werden sie erneut kontrolliert, dieses Mal von zwei jungen Frauen, die mit ihnen Englisch sprechen. Und es kommt der Hinweis, dass man ohne kostenpflichtige Erlaubnis keine Fotos machen darf. Das habe er auch nicht vor, versichert Sam.

Ein älterer Asiat schleppt eine ganze Filmausrüstung an und blättert die erforderliche Summe auf den Tresen. Sam gibt Jean-Claude ein Zeichen, ihm zu folgen. Er hat es eilig, weil er sich durch die Filmerei nicht stören lassen will.

Sie betreten dunkle, fensterlose Räume, die wie Höhlen oder Gräber sind. Finden dort, in großen Glaskästen aufbewahrt und ausgestellt, was von den Toten übrig ist. Knochen, Schädel kunstvoll aufgeschichtet. Kleidungsstücke, die in gedämpftem Licht an unsichtbaren Fäden schweben, ohne die, die sie getragen haben. Fotos der Verstorbenen, wie man sie im Portemonnaie bei sich trägt. Auch kleine Automatenfotos, einige mit Knicken oder unscharf. Ganz alltäglich wirken sie und gerade deshalb irgendwie lebendig. Jetzt hängen sie an dünnen Drähten, nahtlos aufgereiht und angeklammert wie an eine Wäscheleine. Dazu Zettel mit Notizen, die von Angehörigen geschrieben wurden. Sam studiert einzelne Gesichter. Sucht nach Ähnlichkeiten mit seiner Mutter und verliert dabei Jean-Claude aus den Augen. Plötzlich stellt er fest, dass der verschwunden ist.

Was tu ich hier?, denkt er. Ohne Mum und Dad.

Während Sam langsam weitergeht, streifen seine Augen Tafeln, deren Texte die Besucher informieren sollen. Nur Teile davon liest er, bruchstückhaft, und vor ihm tut sich ein Geschehen auf, das alles Vorstellbare übersteigt, Kopf und Herz voneinander trennt. Der Kopf registriert die Zahlen, Daten, Bilder, das Herz weigert sich mitzudenken.

Im nächsten Raum sind andere Völkermorde der Geschichte dargestellt. Kambodscha und Armenien. Und natürlich auch der Holocaust in Deutschland. Neben Fotos von den Leichenbergen, die man nach dem Krieg in Auschwitz fand, die Großaufnahme eines Naziaufmarschs mit dem Führer an der Spitze. Im Hintergrund die Masse, die begeistert winkt. Schwarz auf Weiß.

Sam kommt die aberwitzige Idee, er sei der Erbe zweier Völkermorde.

Zu viel! Er verlässt den Raum, um Jean-Claude zu suchen, folgt der Treppe, die nach oben führt, raus aus der Gruft, und gerät in einen langen Gang, durch den er muss, um zum Ausgang zu gelangen.

Zuerst fühlt er sich erleichtert, weil die Atmosphäre plötzlich hell und freundlich ist, fast idyllisch wirkt. Anders als in den unteren Räumen sind die Wände hier nicht dunkel, sondern in Orange gestrichen. Kinderzimmerfarben. Rundbögen öffnen sich zu kleinen Nischen, wo gemäldegroße Fotos von Kindern in beleuchteten Fensterkästen hängen. Schrifttafeln sind darunter angebracht.

Die erste liest Sam, ohne nachzudenken, doch als ihm klar wird, dass auch diese Kinder gnadenlos getötet wurden, Kinder, die noch alles vor sich hatten, kann er nicht mehr länger bleiben, will er auch die anderen Tafeln nicht mehr lesen, will nur noch weg von allem, raus! Ganz am Ende in der letzten Nische aber stößt er auf ein Foto, an dem er nicht vorbeikann, ohne es etwas länger anzusehen.

Da liegt ein Mädchen auf dem Rücken irgendwo im Gras. Schaut mit leuchtenden Augen in den Himmel. Zeige- und Mittelfinger ihrer rechten Hand zu einem V geformt. V für Sieg. Sie lacht. Es ist dieses Lachen, das ihn festhält, weil es ihn an Mum erinnert, so ein Lachen tief von innen, wie er es bei keinem sonst gesehen hat. Kurz entschlossen holt er sein Notizbuch aus dem Rucksack und beginnt den Text von der Tafel abzuschreiben:

Mami Mbarushimana
Favourite food: Chips with mayonnaise
Enjoyed: Traditional dance
Favourite song: The Beauty of Woman
Last word: Mum, where can I run to?
Cause of death: Shot dead

Im Flur vorm Ausgang wartet schon Jean-Claude auf ihn. Steht dort an die Wand gelehnt und starrt entgeistert einen Weißen an, der vor den Toilettenräumen sitzt, beide Hände vors Gesicht geschlagen, und sich vor Weinen schüttelt. Auf den Knien hält der Mann, umgekehrt wie eine Schale, eine Baseballkappe, als ob er darin seine Tränen auffangen wollte.

Ein Weißer, der eine Mütze voller Tränen weint, während Jean-Claude die ganze Zeit fast gefühllos wirkt …

Als eine Frau aus der Damentoilette kommt, auch verweint, springt der Mann mit der Kappe auf, um mit ihr nach draußen zu verschwinden.

Jetzt ahne ich, wie es ist, wenn einem das Herz bricht, Enna. Seit ich heute Morgen in Gisozi war, der Gedenkstätte für den Völkermord, und dort bei den Massengräbern.

Ich sitze am Fenster und starre in den Hotelgarten. Alles grau in grau da draußen, ohne Ende trieft es von den Palmen.

Im Augenblick ist hier „itumba", die große Regenzeit, die von Februar bis Mai dauert, was jedoch nicht heißt, dass es nur regnet. Aber wenn es regnet, platzen die Wolken, es stürmt wie verrückt und schüttet eimerweise, das Wasser schießt durch die Straßen und du kannst dich nur noch in Sicherheit bringen. Echt heftig ist das, wie fast alles hier.

Zweihundertfünfzigtausend Tote waren es in Gisozi und fast eine Million im ganzen Land. Unfassbar, dass diese entsetzliche Geschichte auch etwas mit mir zu hat, aber das hat sie, Enna, das ist mir dort bewusst geworden und hat mich so getroffen, dass ich Angst habe, meiner Mutter zu begegnen.

Am liebsten würde ich an etwas anderes denken. An etwas Lebendiges, Schönes! Ich versuche mir dein Gesicht vorzustellen, wie du in die Sonne blinzelst und die Nase krausziehst, wenn du lachst, aber … vor mir sehe ich ein anderes lachendes Gesicht. Das von einem toten Mädchen, deren Foto in Gisozi hängt. Mbarushimana hieß sie und sie wurde nur zwölf Jahre alt.

„Ich habe mehr von Gott", bedeutet dieser Name, wie mir Jean-Claude später übersetzt hat. Alle ruandischen Namen bedeuten etwas ganz Bestimmtes.

Während ich dir schreibe, hat es aufgehört zu regnen. Genauso schnell, wie der Regen kommt, verzieht er sich auch wieder. Jetzt reißt die Wolkendecke auf und ein Streifen Sonnenlicht drängt sich durch den Spalt, mit aller Macht und so intensiv, als könnte er die ganze Welt erleuchten. Vielleicht leben ja die Leute hier von diesem Licht.

Auch wir beide leben, Enna! Jetzt erst ahne ich, was das heißt.

SIEBEN

Die Vogelstimmen, von denen Sam morgens geweckt wird – meist gegen sechs –, sind ungeheuer vielfältig. Nicht so ein diffuses Gezwitscher, wie er es von zu Hause aus dem alten Walnussbaum in Hamburg kennt.

Hier ist es ganz anders. Hier ist es ein Zusammenspiel, bei dem man beinah alle Stimmen unterscheiden kann. Solostimmen mit ganz eigenen Melodien. Sehr ungewöhnliche sind dabei. Eine besonders frühe, von der Sam das erste Mal wach geworden ist, klingt wie der tiefe Ton einer Hirtenflöte. Sie ist seitdem sein Wecker. Gleich nachdem er sie gehört hat, steht er auf, zieht seine Badehose an und geht schwimmen. Um sechs Uhr früh hat er den Pool noch ganz für sich allein.

Manchmal schwimmt er mehr als eine Stunde lang hin und her, überlässt sich ganz dem Wasser, das ihn weich und kühl umfängt. Hier kann er untertauchen und einfach nur er selbst sein wie überall, wo Wasser ist. Vertrauter Ort. Am Morgen nach Gisozi braucht er das noch mehr als sonst, weil er ruhelos die ganze Nacht unter dem Moskitonetz gezappelt hat.

Kopfüber stürzt er sich jetzt in den Pool und ein Schutzwall schließt sich über ihm. Eine Weile bleibt er unten, dann taucht er auf, um zu schwimmen, seine Muskeln spannen sich. Die Ohren voller Vogelstimmen gibt er heute Morgen alles in die Schwimmbewegung und verausgabt sich, das Tempo steigernd, bis an seine Grenzen. Schwimmt alles von sich weg, alles Schwere, das sich wieder auf den Tag legen wollte. Erst als er nicht mehr kann, steigt er aus dem Wasser, schleppt sich zu einer Liege, wo er sich bäuch lings fallen lässt, um kurz darauf in tiefem Schlaf zu versinken. Weit weg von allem. Schwerelos.

Wassergeplätscher, Stimmen und lautes Lachen holen Sam erst Stunden später aus dem Schlaf. Die Sonne brennt auf seinen Rücken; er schlägt die Augen auf und stellt verwundert fest, wo er ist. Benommen rollt er sich herum, setzt sich hin und blinzelt in das grelle Licht. Sieht die anderen Gäste, die den Pool bevölkern, alle Liegen sind belegt. Auf einmal stellt er fest, dass er Hunger hat. Es ist kurz nach zehn.

Noch eine kleine Runde vor dem Frühstück, denkt er, das erspart die Dusche, und ist schon auf dem Sprung zum Pool. Unterwegs jedoch bleibt er stehen.

Im flachen Teil des Beckens vergnügen sich zwei junge Leute. Plappern. Plantschen. Eine ziemlich pummelige Weiße und ein Afrikaner, Glatzkopf, groß und muskulös. Es waren ihre Stimmen und ihr Lachen, wovon er eben wach geworden ist. Die beiden klammern sich an den Rand und strampeln kräftig mit den Beinen.

„No", gluckst die Frau, „don't bend your knees!"

Wenig später führt sie stehend die Bewegung vor, die man beim Schwimmen mit den Armen machen muss. Konzentriert schaut der Afrikaner zu, versucht ihr eifrig alles nachzumachen. Ein bisschen lächerlich wirkt das Ganze, aber irgendwie auch nett. Es scheint dem Mann überhaupt nichts auszumachen, dass er hier vor aller Augen wie ein Kleinkind schwimmen lernt. Und das von einer weißen Frau. Sie fasst nach seinen Händen, zieht ihn hinter sich durchs Wasser bis ins Tiefe, lässt ihn plötzlich los. Er paddelt, geht ein paarmal unter, kommt aber von allein wieder hoch. Prustet. Lacht.

Ob die wohl ein Paar sind?

Im selben Augenblick schießt Sam ein anderer Gedanke

in den Kopf, trifft ihn mit solcher Wucht, dass er auf der Stelle kehrtmacht, ins Hotel und zu seinem Zimmer rennt, wo sein Handy liegt. Er nimmt es und wählt einfach ihre Nummer.

Bis zum Hals stehen sie im Wasser.

Es hat Sam enorme Überredungskunst gekostet, Mum so weit zu bringen, dass sie sich an seiner Hand vom Flachen bis hierher gewagt hat. Er fühlt, wie angespannt sie ist, weiß genau, dass sie sich nur ihm zuliebe darauf eingelassen hat. Ihre Hand umklammert seine wie ein Schraubstock, nicht bereit, nur einen Millimeter loszulassen. Die Zeit ist gut gewählt, sie sind allein. Eine dichte Wolkendecke hat die letzten Badenden vertrieben und in einer Stunde wird es ohnehin dunkel sein.

„Mum, lass bitte meine Hand los! Du kannst hier stehen, es passiert dir nichts."

Ihre Finger drücken noch ein bisschen fester zu.

„Mum, bitte, lass jetzt einfach los!"

Obwohl er *bitte* sagt, ist es ein Befehl.

Erkennbar widerwillig löst sie einen Finger nach dem anderen. Ihre Augen groß und starr auf Sam fixiert.

„Ja, so ist es gut. Ich gehe jetzt ein kleines Stück von dir weg, aber nur so weit, dass ich dich sofort erwische, falls es nötig ist."

Bevor Fe reagieren kann, hat er sich bereits entfernt.

„Sam!", sagt sie gepresst, rührt sich aber nicht von der Stelle.

„Mum, du brauchst wirklich keine Angst zu haben. Mach bitte mal die Augen zu und versuch dich zu entspannen! Mum! Mach jetzt die Augen zu!"

Sie gehorcht. Eine Weile lässt er sie so stehen.

„Und? Wie ist das? Ist es schlimm?"

Mit dem Hauch eines Lächelns schüttelt sie den Kopf, ihre Augen noch geschlossen. Sie scheint etwas mutiger zu werden.

„Gut! Dann beweg mal deine Arme, rauf und runter, so als ob

du fliegen willst. Locker bleiben! ... Ja, genau, so ist es gut. Und jetzt lass sie kreisen, fühl, wie weich das Wasser ist ... und wie stark ... So stark, dass es dich tragen kann."

Er entfernt sich noch ein Stück von ihr.

„Siehst du, geht doch! Mensch, das machst du wirklich gut. ... Und jetzt komm zu mir, hüpf einfach auf den Zehenspitzen vorwärts, bis du bei mir bist. Und beweg dabei die Arme!"

Schon ist sie da, greift nach seinen Schultern, aber dieses Mal klammern ihre Finger nicht. Ihr Griff ist leicht, vertrauensvoll.

„Ja, halt dich an mir fest und lös die Füße jetzt vom Boden, die Beine hoch, streck sie nach hinten aus ... Beine hoch! Weiter! Höher, ganz nach oben, bis du auf dem Wasser liegst! Ja, genau, ich zieh dich jetzt ein Stück, dann ist es schon, als ob du schwimmst."

Was sich in der nächsten halben Stunde abspielt, ist viel mehr, als Sam je zu hoffen wagte. Nachdem Fe ihre Angst überwunden hat, folgt sie allem, was er von ihr will, mit Feuereifer, ist bereit, ihm zu vertrauen. Zuerst staunend, dann begeistert, bis sie sich zum Schluss allein über Wasser halten kann, sogar ein paar Züge schwimmt. Sam jubelt innerlich, weiß nicht, wann sie sich zuletzt so nah gewesen sind. Platzen könnte er vor Glück und Stolz.

„Genug für heute", sagt er und strahlt seine Mutter an.

Als sie aus dem Becken steigen, hängt die Dämmerung schon in den Bäumen. Mum schüttelt sich unter einer triefend nassen Gänsehaut. Vom Himmel fallen erste Regentropfen. Schnell legt Sam Fe ein Handtuch um die Schultern.

„Danke!", sagt sie liebevoll. Ihm ist klar, dass sie gerade nicht das Handtuch meint. Übermütig drückt er ihr einen Kuss auf die Wange.

„Diesen Sommer schwimmen wir im Meer!"

Fe zuckt zurück, rafft mit einem Ruck das Handtuch über ihrer Brust zusammen.

„Sam …", sagt sie kläglich, schluckt. Bevor sie hastig weiterspricht, weiß er schon, was sie sagen will. Ihm wird kalt.

„Sam, ich fliege nicht mit euch zurück. Ich bleibe hier."

Sie sitzen im Hotelzimmer. Sam, an die Wand gelehnt, auf dem Bett, seine Mutter auf dem Stuhl, der ein paar Meter weit entfernt am Schreibtisch steht. Es ist inzwischen dunkel, doch Sam hat keine Lampe angemacht. Nur die Beleuchtung aus dem Garten spendet etwas Licht. Das fällt auf Fes Gesicht, sodass er den gequälten Ausdruck ihrer Augen sehen kann. Bis eben hat sie beinah pausenlos auf Sam eingeredet, jetzt ist sie verstummt.

Von dem, was sie gesagt hat, haben sich nur Fetzen in ihm festgesetzt: Hier kann sie etwas tun, das für sie sinnvoll ist … Sie braucht noch sehr viel Zeit, um sich selbst zu finden … fühlt sich schuldig, glaubt, dass sie irgendetwas wiedergutmachen muss … nur hier kann sie sich vielleicht von dem befreien, was zwischen ihr und dem Leben steht … es gibt da etwas, das sie irgendwann zu Ende bringen muss, aber erst, wenn sie so weit ist …

Sam fragt sich, was er fühlt außer einer großen Leere an der Stelle, wo vorher noch seine Hoffnung war. Er weiß es nicht.

„Und was wäre, wenn ich bei dir bleiben möchte!"

Nicht wirklich meint er das, will sie nur provozieren, auf die Probe stellen. Will nur einmal von seiner Mutter hören, dass sie nicht auf ihn verzichten kann.

Die zu feinen Rundbögen gezupften Linien über Fes Augen heben sich.

„Willst du das?", fragt sie zurück, spricht jedoch, ohne eine Antwort abzuwarten, sofort weiter. „Das wäre nicht die richtige Entscheidung, glaube ich. Nicht im Augenblick. Auf alle Fälle solltest du die Schule erst zu Ende bringen."

Ist doch klar, dass Mum so was in der Art sagen würde! Vernunft war bei ihr immer stärker als Gefühle. Und die Schule wichtiger als alles andere. Aber sie hat recht. Spricht nur aus, was Sam eigentlich genauso denkt. Trotzdem macht es ihn verrückt, dass sie es so nüchtern sieht. Wenigstens ein bisschen leiden könnte sie! Als Beweis dafür, dass sie ihn liebt.

Fe scheint zu ahnen, was gerade in Sam vorgeht, denn sie steht auf und kommt langsam durch das dunkle Zimmer auf ihn zu, um sich neben ihn aufs Bett zu setzen. Zögernd streckt sie ihre Hand aus, fasst nach seinem Arm.

„Sam, ich weiß, wie schwer das alles für dich ist, und ich wünschte mir so sehr, es könnte anders sein! Dass ich dich und Dad nicht so verletzen müsste. Du musst mir glauben, auch für mich ist es nicht leicht, aber ..." Ihre Stimme kippt, klingt brüchig, als unterdrücke sie ein Weinen. „Ich habe keine andere Wahl. Wenn ich trotzdem mit euch gehen würde, wäre es für keinen von uns gut."

Sam zieht seinen Arm unter ihrer Hand zurück.

„Hast du Dad eigentlich früher mal geliebt?" Die Frage muss einfach raus, obwohl er weiß, dass er kein Recht hat, sie zu stellen.

Fe strafft die Schultern, wappnet sich.

„Wie meinst du das? Ja, natürlich, aber ... ach, ich weiß nicht. Vielleicht nein. Jedenfalls nicht so, wie er es verdient. Dein Vater ist der beste Mensch, den ich kenne, ihm verdanke ich unendlich viel. Vielleicht hätte ich ihn sogar richtig lieben können, wenn ..."

Das *Wenn* füllt sie nicht mit Worten, braucht es nicht, denn Sam weiß auch so Bescheid. Spätestens seit gestern weiß er es.

Wenn das alles nicht geschehen wäre.

Aber dann wäre sie wahrscheinlich nie nach Europa gekommen, hätte seinen Vater also nie getroffen und die Frage, ob sie ihn vielleicht hätte lieben können, hätte sich gar nicht erst gestellt.

Sam begreift in diesem Augenblick, dass sich manchmal unausweichlich eines aus dem anderen ergibt. Ungewollt. Vielleicht noch nicht einmal mit der Möglichkeit, Entscheidungen zu treffen. Schicksal nennt man das, und er selbst ist ein Teil davon, mit dem Schicksal seiner Eltern eng verbunden.

Es ist ungerecht!, denkt er, korrigiert sich aber auf der Stelle. Gerechtigkeit gibt es auf der Schicksalsebene nicht, gerade hier in Ruanda hat er das erkennen müssen. Als seine Mutter vorhin sagte, sie habe keine andere Wahl, als hierzubleiben, hat er innerlich protestiert und: Natürlich hast du eine Wahl! gedacht. Du musst dich bloß für uns entscheiden. – Doch da hat er sich getäuscht.

„Es tut mir leid!", murmelt er und greift nach Mums Hand. Sie klammert sich daran wie eben, als sie noch im tiefen Wasser standen. Schüttelt stumm den Kopf. So sitzen sie im Dunkeln beieinander.

Noch immer kein Wort zu Gisozi. Aber es ist da.

Ein paarmal schon hat das angriffslustige Surren Sam im Schlaf gestreift. Eine lästige Störung, die ihn kurz an die Oberfläche des Bewusstseins hebt, bevor er wieder wegsackt, jedes Mal nicht mehr ganz so tief. Ein diffuses Auf und Ab ist das, bis das Surren wie ein Bohrer seinen Nerv trifft. Blind schlägt er in die Dunkelheit. Scheißmücken! Wo ist das Moskitonetz?

Langsam richtet er sich auf. Orientierungslos. Seine Zunge klebt am Gaumen, in seinem Bauch gähnt ein Hungerloch. Die Luft ist stickig, wärmer auch als sonst, und noch etwas anderes ist nicht so wie sonst. Da ist so ein süßlicher Geruch … aber überhaupt, was ist *sonst*? Sam findet keinen Faden, nichts, was ihn mit dem verknüpft, woran er sich erinnern müsste.

Jetzt surrt es wieder dicht an seinem Ohr, sticht ihn plötzlich in die Schulter. Instinktiv kratzt er sich, fühlt, wie die Schwellung unter seinen Fingerspitzen wächst, und flucht. Seine rechte Hand tastet nach dem Schalter an der Wand, die linke sucht irgendwo das Moskitonetz und stößt an einen warmen Körper, der sich unter der Berührung leicht zur Seite dreht.

Mum!

Sie ist noch da. Liegt hier in seinem Bett dicht neben ihm. Irgendwann müssen sie wohl beide eingeschlafen sein.

Jetzt ist alles wieder da und zum zweiten Mal trifft es ihn wie ein Schlag. Sam schiebt die Beine aus dem Bett, um aufzustehen. Benommen tapst er durch das dunkle Zimmer.

„Sam?"

Widerstrebend bleibt er stehen.

„Wo willst du hin?"

„Ich geh aufs Klo", nuschelt er.

Auch im Bad schaltet er das Licht nicht an. Er will sich nicht im Spiegel sehen. Am liebsten möchte er weiterschlafen, ignorieren, dass er wach geworden ist. Gierig schlürft er Wasser aus der Leitung, hockt sich dann aufs Klo, um zu pinkeln. Lange bleibt er sitzen und brütet dumpf vor sich hin.

„Sam? Bist du noch da?"

Er drückt den Knopf der Spülung und verlässt das Bad.

„Sam?"

„Ja, einen Augenblick, ich mache Licht."

„Nein, lass es bitte aus und komm zurück ins Bett!"

Er gehorcht. Legt sich jedoch außen an die Kante, um seiner Mutter nicht zu nah zu kommen. Sie jetzt zu berühren, das erträgt er nicht. Es reicht schon, dass er hört, wie sie atmet.

„Ich erzähle dir von Nkulikiyinka", sagt sie leise in die Dunkelheit. „Oder Inyana. So wurde ich als kleines Kind genannt."

Inyana? Mit einem Mal ist Sam hellwach.

Es ist so weit: Endlich will seine Mutter reden.

Und er hört ihr zu.

Ihre leise Stimme nimmt ihn mit in eine Nacht, die kein Ende finden will. Immer wieder unterbricht sie sich. Holt tief Luft, bevor sie stockend weiterredet, als müssten ihre Worte ausgegraben werden. In den Pausen wünscht Sam sich manchmal, dass sie schweigen würde. Trotzdem drängt es ihn, alles zu erfahren. So vergeht die Zeit, die jedes Maß verliert, und als sie sich dem Ende nähern, ist Mums Stimme heiser vor Erschöpfung.

Wieder hört sie auf zu sprechen, im Zimmer bleibt es diesmal still. Totenstill. Inyanas Schweigen.

Mum schläft. Müde hat sie sich geweint und geredet, bis sie schließlich vor Erschöpfung eingeschlafen ist.

Sam ist von der Kante nah an sie herangerückt, es wird fast zu eng für sie beide unter dem Moskitonetz. Er fühlt sich auch erschöpft, doch an Schlaf ist nicht zu denken. Viel zu sehr quält ihn das, was er gerade tief in sich aufgenommen hat. Während Mum erzählte, hat die Dunkelheit sie und ihn und all das Schreckliche schützend eingehüllt, doch nun braucht er Licht, kann die Finsternis nicht mehr ertragen. Er knipst die kleine Nachttischlampe an.

Fremdes Zimmer, fremdes Land, fremder Kontinent. Auch Sam ist sich selbst auf einmal fremd. So ungefähr muss sich einer fühlen, der sich in der Fremde wiederfindet und vergessen hat, wer er ist.

Mum scheint im Schlaf alles hinter sich zu lassen. Ganz entspannt liegt sie da, die Hände neben ihrem Kopf, die Finger leicht geöffnet, auch den Mund, durch den sie lautlos ihren Atem bläst. Ihre Unterlippe zittert wie der Flügel eines Schmetterlings. Unwahrscheinlich jung sieht sie aus. Sam glaubt das kleine Mädchen zu entdecken, das barfuß hinter seiner Kuh herlief. Kann es sein, dass es doch noch irgendwo in Mum lebendig ist? Hätte sie sonst von Inyana so erzählen können? Er klammert sich an den Gedanken, dass Inyana sich nur irgendwo versteckt, wo sie sich sicher fühlen kann.

Seltsam, wie vertraut ihm seine Mutter plötzlich ist, obwohl er sie erst jetzt richtig kennenlernt. Seltsam, dass sie hier bei ihm liegt, ihren Schlaf mit ihm teilt.

Er greift zum Nachttisch, holt den Herzstein, den er neben dem Notizbuch aufbewahrt, und legt ihn sich auf die Brust.

Enna, denkt er. Enna ...

Das, was ich insgeheim befürchtet habe, ist jetzt eingetreten, Enna. Seit gestern weiß ich, dass meine Mutter nicht mit uns nach Hause fliegen wird. Sie und Dad – das ist vorbei.

Schon lange habe ich geahnt, dass mit den beiden irgendwas nicht stimmt, es gab so viele Zeichen, die man gar nicht übersehen konnte. Doch ich habe es nicht an mich rangelassen.

Übermorgen kommt mein Vater wieder und ich bin gespannt, was dann passiert. Denn dann müssen wir darüber reden, müssen überlegen, wie es weitergehen soll. Weißt du, was ich glaube, Enna? Für ihn war es eigentlich schon klar, als wir hierhergeflogen sind. Er hat sich nur davor gedrückt, es offen auszusprechen. Wie ähnlich wir uns sind! Und außerdem glaube ich, dass Mum es ihm gesagt hat, als wir neulich essen waren, und dass er deshalb ein paar Tage weggefahren ist. Weil er es nicht ertragen konnte. Oder Mum vielleicht das Feld überlassen wollte, damit es leichter für sie ist, die Sache selbst mit mir zu klären.

Hoffentlich hat ihm der Trip dabei geholfen, sich ein bisschen abzulenken. Falls er wirklich, wie geplant, bei den Gorillas in den Bergen war. Im Affenland, wo alles anders ist ... Früher, als ich klein war, habe ich oft davon geträumt, mir vorgestellt, im Affenland zu sein, wo die Welt in Ordnung ist.

Dad muss schrecklich traurig sein und ich wünschte ihm, nein, uns! so sehr, dass alles doch noch gut werden könnte. Dabei weiß ich ganz genau, wie aussichtslos es ist. Das, was zwischen ihm und Mum geschehen ist, hat seine eigenen Gesetze, musste scheitern, weil sich Mum nie wirklich darauf eingelassen hat. War es ihr vielleicht sogar von Anfang an bewusst, dass sie Dad nicht lieben konnte?

163

Und was ist dann mit mir? Kannst du verstehen, Enna, dass ich mich zum Beispiel frage, ob sie mich überhaupt haben wollte?

Heute hat sie hier bei mir im Hotel übernachtet und zum ersten Mal von sich erzählt. Von der Zeit, als sie noch klein war, von ihren Eltern und Geschwistern, die alle umgekommen sind. Und obwohl es schrecklich war, ihr zuzuhören, war es gut, dass sie mit mir gesprochen hat.

Beim Frühstück war sie dann wie immer. Ziemlich ruhig, auch ein bisschen distanziert. Und in Eile, weil sie zu Mama Munyemana wollte. Mit keinem Wort hat sie die Nacht erwähnt. Wie kriegt sie das bloß hin? Geht einfach so zur Tagesordnung über! Ich habe dagesessen wie betäubt, sie nur angestiert, obwohl ich tausend Fragen hatte. Konnte keinen Bissen runterkriegen.

Es ist doch wirklich nicht okay, dass sie mich in dem Moment alleingelassen hat!

Sie brauche Zeit, um mir alles zu erzählen, doch das werde sie, hat sie mir versprochen, als sie ging. Alles auf einmal sei zu viel für sie. Und wahrscheinlich auch für mich.

Übrigens glaube ich, dass sie in der Sturmnacht, als sie bei euch war, mit deiner Mutter über vieles schon geredet hat. Ich bin mir sogar sicher, weil Helen ihren Kindernamen kannte. Inyana. Das bedeutet Kälbchen. Frag deine Mutter mal nach Inyana. Vielleicht erzählt sie dir die Geschichte.

Erinnerst du dich noch an die Kälte an dem Morgen, als wir uns vor eurer Haustür trennten? Sie war so eisig, dass sie mir beim Abschiedskuss wie ein Dolch in die Nasenspitze stach, und sofort als wir draußen waren, fing ich vor Kälte an zu klappern. Innen drin aber war mir trotzdem warm.

Hier ist es draußen immer warm. Aber innen drin ist mir manchmal furchtbar kalt.

ACHT

Musa telefoniert während der Fahrt, das Handy zwischen Wange und Schulter geklemmt, und gestikuliert dabei mit den Händen, als wolle er etwas wegwischen oder einen Weg beschreiben. Zwischendurch hupt er alles beiseite, was ihm in die Quere kommt, auch Fußgänger, die einem leidtun können.

Mum hat sich zu Sam nach hinten gesetzt, immerhin, sonst hätte er überhaupt keine Lust gehabt, schon wieder mit Musa unterwegs zu sein. Zwei bis drei Stunden lang sogar, und danach genauso lange zurück, weil sie einen Ausflug machen. Zu dem kleinen Dorf, wo Mum geboren wurde und ihre ersten Lebensjahre verbracht hat. Musa stammt auch von dort, hat sogar eine Schwester da, die er besuchen will.

Noch sind sie in der Stadt, der Wagen rast singend über die graue, glatte Oberfläche der nagelneuen Durchgangsstraße, vorbei an einer Frau in blauem Kittel und Gummistiefeln, die allein mit einem Hexenbesen Meter für Meter den Seitenstreifen kehrt. Sam fragt sich, wie viele Kilometer sie heute wohl noch fegen muss. Und das mitten im dichtesten Verkehr! Im Geist sieht er eine Kehrmaschine vor sich, die sich langsam und gründlich über eine deutsche Straße schiebt. In Ruanda hat man dafür einfach Menschen, wie für vieles andere auch. Und offenbar mehr als genug.

Mum deutet durch das Seitenfenster auf einen Hügel, wo kein Haus mehr steht, auch kein Baum oder Strauch. Ein paar Bagger wühlen auf riesengroßer Fläche die rote Erde auf, graben tiefe Kuhlen. „Da wird ein neues Viertel gebaut", erklärt sie. Sam weiß inzwischen, was das heißt. Das alte Viertel wurde einfach plattgemacht, weil die Lehmhäuser dem modernen Standard, der jetzt in der Hauptstadt gilt, nicht entsprachen. Unterhalb des Hügels entdeckt er drei streunende Hunde. Ihre Schnauzen kleben eifrig schnüffelnd am Boden, sie scheinen auf Futtersuche zu sein. Ihm fällt auf, dass er zum ersten Mal Hunde in Kigali sieht.

„Guck mal da, die Hunde!", sagt er.

„Wenn die nicht bald verschwinden, erschießt man sie", antwortet Mum mit ausdrucksloser Stimme. „Hier mag seit '94 keiner Hunde mehr. Diese … Leichenfresser."

Sam ist entsetzt. Er möchte überhaupt nicht wissen, was seine Mutter damit sagen will! Jona kommt ihm in den Sinn, der bei jedem Wiedersehen begeistert an ihm hochspringt und vor Freude jault. Er klammert sich an dieses Bild und ist froh, als die Stadt endlich hinter ihnen liegt.

Zu seiner Überraschung sind auch draußen an der Landstraße endlose Menschenschlangen unterwegs. Zu Fuß oder auf dem Fahrrad. Viele Räder sind schwer beladen mit riesigen Bananenstauden oder dicken Schilfbündeln. Sogar Möbelstücke werden so transportiert. Sam sieht viele Leute schieben, wenn die Last zu schwer ist, und ohne größere Last sieht er sie zu zweit auf den Rädern sitzen, nur selten ist der Träger hinterm Sattel frei. Die zu Fuß unterwegs sind, tragen ihre Lasten auf dem Kopf: Große Plastikschüsseln randvoll mit Früchten und Gemüse, prall gefüllte Säcke, Wasserkanister, Holz- oder Reisigbündel. Ungeachtet der brütenden Sonne balancieren zwei Männer, im Gänsemarsch hintereinander hertrippelnd, zwei übereinandergestapelte Matratzen auf dem Kopf.

Alle Fußgänger halten sich sehr aufrecht und ihr Gang wirkt trotz der Lasten leicht, so wie Sam es auch von seiner Mutter kennt.

Ein einsames Stück Landstraße führt sie zwischen Bananenhainen, Feldern und kleinen Waldstücken hindurch. Vereinzelt tauchen armselige Lehmhäuser am Straßenrand auf, ihre Fenster sind vernagelt, mit Decken zugehängt oder einfach nur finstere Löcher. Vor manchen stehen Ziegen, an Pflöcke gebunden, oder Kleinkinder spielen auf dem staubtrockenen Boden.

Ein kleines Mädchen in Schuluniform scheint auf dem Heimweg zu sein. Sie trägt ihre Tasche auf dem Kopf, hält sie locker mit einer Hand. Mutterseelenallein stapft die Kleine die Straße entlang. Als sie an ihr vorbei sind, schaut Sam aus dem Rückfenster und reckt den Hals, um sie nicht aus den Augen zu verlieren. Lauter dünne Zöpfe mit bunten Schleifen stehen ihr vom Kopf ab. Wie weit sie wohl laufen muss, um zu ihrem Dorf oder Haus zu gelangen? Er denkt an Inyana, die, als sie drei war, schon allein zu den Weiden rannte. Heute irgendwann wird er sehen, wo das war! Verstohlen schaut er seine Mutter von der Seite an, rätselt wieder einmal, was gerade in ihr vorgeht. Eine Grübelfalte steht auf ihrer sonst so makellos glatten Stirn. Hängt sie noch dem furchtbaren Gedanken an die Hunde nach? Oder tut es ihr vielleicht schon leid, dass sie diesen Ausflug vorgeschlagen hat? Es ist das erste Mal seit damals, dass sie in ihr Dorf zurückkehrt.

„Mum … du und Musa … kennt ihr euch schon, seit ihr Kinder ward?"

Musas Augen treffen Sams im Rückspiegel. Er hat seinen Namen wohl verstanden. Wahrscheinlich ist es unhöflich, in seiner Gegenwart Deutsch zu sprechen, aber Sam muss schließlich auch ertragen, dass hier alle ohne Rücksicht auf ihn Kinyarwanda reden.

„Ja … das heißt, nein … ich war zwar noch ein Kind, erst drei, wie du weißt, Musa aber nicht, er ist mindestens zehn Jahre älter und war unser Hirtenjunge. Seine Schwester ist ungefähr so alt, wie meine Schwester Ingabire heute wäre, doch an sie erinnere ich mich nicht mehr … und ob die beiden befreundet waren, kann ich dir nicht sagen, ich glaube es aber eher nicht."

Während Mum erzählt, vertieft sich ihre Grübelfalte.

„Wir waren damals Nachbarn, doch Musas Familie gehörte zu den anderen. Es war übrigens seine Mutter, die uns tagelang in ihrem Küchenhaus versteckt hat. Mukantaganda, die Fleißige … Ihr verdanke ich es wohl, dass ich noch lebe. Nachdem wir in die Stadt gezogen waren, bin ich ihr nie mehr begegnet. Mittlerweile ist auch sie gestorben, allerdings so, wie man normalerweise stirbt. Sie war alt und krank."

Das klingt bitter. Obwohl Mum doch eigentlich Dankbarkeit empfinden müsste. Musas Mutter hat schließlich viel für sie riskiert. Vielleicht sogar ihr eigenes Leben.

„Und Musa ist dann auch in die Stadt gezogen?"

„Ja, aber sehr viel später erst. Er wollte mehr aus seinem Leben machen, was ihm auch gelungen ist. Zuerst hat er Papier hergestellt, soviel ich weiß. Inzwischen kann er von den Mieten seiner Häuser leben, die er nach und nach gekauft hat, als sie noch nichts kosteten. Natürlich hat er sie alle modernisiert. Jetzt ist er Mama Munyemanas Nachbar und ich glaube, sie betrachtet ihn als Freund. Nach meiner Rückkehr traf ich ihn eines Tages bei ihr wieder und erfuhr von ihm, dass wir mittlerweile sogar irgendwie verwandt sind."

„Wieso?", fragt Sam verblüfft.

„Ein entfernter Cousin von mir, den ich nicht kenne – er war in der Armee des Präsidenten –, hat Musas Schwester geheiratet. Die beiden leben noch in unserem Dorf und halten Kühe wie wir früher auch …" Angestrengt starrt sie auf einen unbestimmten Punkt. „Sam, ich weiß nicht, ob ich überhaupt dahin will! Musa meint, es wäre an der Zeit, und ich dachte, wenn du mitkommst, würde es mir leichter fallen, aber jetzt … plötzlich bin ich mir nicht mehr so sicher!"

Sam streckt seine Hand aus, zieht sie aber schnell zurück, weil Mum so intensiv mit sich beschäftigt scheint, dass er sie in Ruhe lassen will.

„Ich bin froh, dass du mich mitnimmst!", sagt er fest. Und das stimmt, er kann es deutlich fühlen. Er will in das Dorf seiner Mutter, unbedingt. Und wenn sie das, was auf sie zukommt, traurig machen wird, will er an ihrer Seite sein.

„Ja?", fragt sie. „Vielleicht gehen wir einfach nur spazieren, wir müssen Musas Schwester ja nicht unbedingt besuchen, was meinst du?"

„Ja, Mum, ein Spaziergang wäre schön. Nur wir beide, und du zeigst mir alles, woran du dich erinnern kannst!"

„Ach, wer weiß, nach so langer Zeit … kann sein, dass nichts mehr so wie früher ist."

Jetzt greift er doch nach ihrer Hand. Sie ist kalt und ein bisschen feucht.

Vor dem Haus von Musas Schwester und Mums Cousin hat sich das halbe Dorf versammelt. Wie ein offizielles Empfangskomitee stehen mindestens zwanzig Leute in Reih und Glied vor der Zypressenhecke, die das Haus umgibt, und blicken dem herannahenden Auto erwartungsvoll entgegen. Einige winken aufgeregt. Sam kriegt einen Heidenschreck, als er das sieht. Unmöglich, dem noch auszuweichen. So ein Mist, Musa hätte das verhindern müssen! Doch der ist augenscheinlich genauso überrascht, denn er wendet sich mit einem Ausdruck des Bedauerns um und zuckt ratlos mit den Schultern.

Mums Gesicht verschließt sich. Schrecklich, aber nicht zu ändern, scheint ihr Blick zu sagen.

Als der Wagen anhält, stürzt eine Kinderschar darauf zu, Musa hat Mühe, die Tür zu öffnen, und es dauert eine Weile, bis sie endlich ausgestiegen sind. Sam verlässt das Auto vor seiner Mutter, weil er sie vor dem Andrang schützen will, was sich allerdings als aussichtslos erweist! Sofort werden sie umringt und umarmt, eine mollige Frau drückt Sam mit aller Macht an ihre Brust, bis ihm fast die Luft wegbleibt, doch sie lässt ihn nicht mehr los und schwatzt lachend auf ihn ein. Mum muss eine Umarmung nach der anderen über sich ergehen lassen, wird herumgereicht, begrüßt, geküsst, aber auch genauestens gemustert. Sam glaubt in dem heillosen Durcheinander von Rufen und Gelächter ab und zu das Wort *Inyana* zu verstehen, aber sicher ist er nicht. Besorgt versucht er einen Blick von seiner Mutter aufzufangen, was ihm nicht gelingt, weil sie viel zu sehr vereinnahmt wird. Unaufhörlich schaut er zu ihr rüber, bis er sie dabei erwischt, dass sie lacht. Erst da entspannt er sich allmählich. Sinn für Komik hatte sie schon immer! Und komisch ist das Ganze – irgendwie.

Die Mollige ist Musas Schwester Sophie, wie sich herausstellt, als sie und ihr Bruder sich begrüßen. Auch Musa gerät sofort in Sophies Umarmungsmangel, heftiger und länger noch als Sam, und nachdem sie mit ihm fertig ist, geht sie voraus ins Haus. Einige der Leute, Mum in ihrer Mitte, folgen ihr, die restlichen verziehen sich. Musa legt Sam die Hand auf die Schulter und schiebt ihn vor sich her, als wolle er ihm helfen, einen schweren Weg zu gehen.

Drinnen ist der Tisch für ein Festmahl gedeckt. Auf einem weißen Tuch mit blauen Stickereien prangt ein Plastikblumenstrauß und die Teller rundherum haben an den Rändern Blumenmuster. Sophie strahlt vor Stolz, bläht sich auch ein bisschen auf dann entfernt sie sich nach nebenan.

Sam blickt sich um. Einfach ist es hier, blitzsauber auch und an Farbe hat man nicht gespart. Die Wände sind türkis gestrichen, die Türen himmelblau, der Boden braun. Möbel gibt es außer einem Sofa, Tisch und Stühlen keine. An einer Wand häng ein Bild aus Schilf oder Bast. Palmen sind darauf zu sehen, ei paar strohgedeckte Rundhäuser und Figuren: Menschen, Tiere aber alles schemenhaft. Dunkelbraun auf hellem Hintergrund Ein Dorf soll das vermutlich sein, so wie hier Dörfer vielleich früher einmal ausgesehen haben.

Endlich gelingt es Sam, Blickkontakt mit seiner Mutter aufzunehmen.

Was wird das hier?, fragen seine Augen.

„Wir sind zum Essen eingeladen, sind sogar die Ehrengäste", rwidert sie auf Deutsch und nickt dabei den anderen freudig u, als seien ihre Worte eigentlich für sie bestimmt. „Es abzulehnen wäre eine unverzeihliche Beleidigung. Also müssen wir da urch …"

Sam steigt auf ihr Spielchen ein, auch er nickt kräftig, grinst on einem Ohr zum anderen. „Und wo ist dein Cousin?", fragt er.

„Weiß ich nicht, angeblich muss er etwas Wichtiges erledigen. ie tun alle sehr geheimnisvoll … ich glaube, es geht irgendwie m dich." Fe lacht, sagt etwas zu den anderen, es klingt, als scher- e sie mit ihnen, und alle stimmen in ihr Lachen ein.

Sam schluckt. Auch das noch! Hoffentlich zwingen sie ihn icht zu etwas, was er überhaupt nicht will! Plötzlich hört er ein Gepolter draußen, Trappeln, Scharren, eine Männerstimme, die twas ruft. Das wirkt wie eine Zündung, alle strömen plötzlich us dem Haus.

„Allons!", sagt Musa. Wieder legt er seine Hand auf Sams chulter und bugsiert ihn sanft vor sich her.

Im Hof werden sie von einem großen, hageren Mann erwartet. Sein Gesicht ist schmal und lang, auch die Nase, irgendwie hnelt er dem Präsidenten. In der rechten Hand hält er einen Stab, nit dem er eine Kuh in Schach hält. Sie ist kupferfarben und ihre angen Hörner sind an den Spitzen leicht gebogen. Ein paar Leu- e klatschen, woraufhin die Kuh erschrickt und einen kleinen prung zur Seite macht. Der Mann brüllt sie an.

„C'est Phillippe, ton oncle!", raunt Musa Sam ins Ohr. *Onkel?*)as fühlt sich eigenartig an! „Il a apporté un cadeau pour toi!"

Phillippe stellt sich auf wie einer, der etwas Bedeutendes sagen vill. Als er seine Hand hebt, um sich Ruhe zu verschaffen, löst sich Mum aus dem Kreis der anderen und kommt zu Sam. Ihr Gesicht ist angespannt.

Phillippe beginnt feierlich zu sprechen, es wird eine längere Rede, die Mum in Teilen übersetzt, was ihr nicht leichtfällt, wie Sam bei jedem ihrer Worte spürt.

Heute sei ein Tag großer Freude, weil Inyana mit Samuels Enkel in ihr Dorf zurückgekommen sei ... Er, Phillippe, habe Samuel gut gekannt und sehr bewundert, als er selbst noch ein Junge war ... Was Samuel und anderen Männern der Familie widerfahren sei, habe Phillippe dazu gebracht, sich – als er etwas älter war – den Rebellen anzuschließen. Doch er sei wieder in sein Dorf zurückgekehrt, um die Familientradition fortzuführen. Die Zeit des Tötens sei vorüber. Hoffentlich für immer.

Hier macht er eine Pause, die Gesichter rundherum sind ernst.

„Die Kuh gehört jetzt dir. Sie ist ein Geschenk der Familie", übersetzt Mum leise, als er weiterspricht. „Wer eine Kuh besitzt, ist ein reicher Mann. Du kannst mit ihr tun, was du willst. Sie vielleicht verkaufen oder auch bei Phillippe lassen, der an deiner Stelle für sie sorgen wird, als ob sie ihm noch gehört."

Phillippe schaut Sam lachend ins Gesicht und auch Mum beginnt zu lächeln, als sie übersetzt, was er noch zu sagen hat.

„Er sagt, er weiß sehr gut, dass du sie nicht mit nach Europa nehmen kannst, aber jedes Kälbchen, das sie auf die Welt bringt, wird in Zukunft dir gehören. Und wenn du eines Tages wieder kommst, besitzt du vielleicht eine ganze Herde."

Jetzt klatschen alle Beifall und Phillippe geht zu Sam, um ihm den Hirtenstab zu übergeben. Der rührt sich nicht, weiß überhaupt nicht, wie er reagieren soll.

„Du musst ihm danken!", flüstert Mum. Sie hat Tränen in den Augen. „Und danach musst du deine Kuh wieder auf die Weide treiben. Phillippe wird dir zeigen, wo das ist."

Stumm läuft Sam neben seiner Mutter her. Satt bis oben hin, weil er viel zu viel gegessen hat: geschmortes Rindfleisch mit Reis und Süßkartoffeln, dazu ein Gemüse, dessen Namen er nicht kennt. Und er ist überwältigt von den letzten Stunden. So viel Fremdes, Gutes, Herzliches ist da auf ihn eingestürmt.

Mum geht sehr zügig. Sie scheint erschöpft vom vielem Regen und von allem anderen auch. Dass es ihr gelungen ist, sich nach dem Essen loszueisen, wundert Sam. Plötzlich hat sie neben ihm gestanden und gesagt: „Komm, wir wollten doch spazieren gehen." Und die ganze Runde hat dazu verständnisvoll genickt.

Sam atmet durch und nimmt die Landschaft in sich auf. Die endlose grüne Weite der Hügel, auf deren Oberfläche terrassenförmige Felder geometrische Muster bilden. Ringsum nur sanfte Hügelketten und darüber der Himmel, wo ein paar helle Wolken unterwegs sind. Vermutlich lässt der Regen noch eine Weile auf sich warten, aber er kommt bestimmt, wie beinah jeden Tag. Dann werden sie eben nass, so eine Himmelsdusche wäre sogar ganz erfrischend, oder sie finden einen Baum, wo sie sich unterstellen können.

„Mum … Wenn es dir nichts ausmacht, möchte ich nachher noch mal zu meiner Kuh. Ich weiß ungefähr, wo die Weide ist."

„Und ich weiß es ganz genau", sagt Mum.

Sie folgen einem schmalen Weg, der um einen kleinen Hügel herumführt, und stoßen nach einer langen Biegung plötzlich auf einen Platz, wo eine kleine Kirche mit einem großen Holzkreuz auf dem Giebel steht. Neben ihr befindet sich ein rotes Ziegelsteingebäude, alt, verwittert und erkennbar ungenutzt.

„Du willst doch etwas über deinen Großvater erfahren", sagt Mum. „Hier ist er zur Schule gegangen. Aber schon während meiner Kindheit war die Schule nicht mehr in Betrieb. Wenn wir hier vorbeigekommen sind, haben wir manchmal durch eines der Fenster ins Klassenzimmer geschaut, wo früher alle Kinder des

Dorfes zusammen unterrichtet wurden. Papa hat mir die Bank gezeigt, in der er gesessen hat, und mir Schulgeschichten erzählt Von den Stockhieben zum Beispiel, die er einstecken musste wenn er zu spät kam, was oft passierte, weil er ein ziemlich wilder Junge war. Komm, wir sehen nach, ob die Bank noch da ist."

Es ist überhaupt keine Bank mehr da, vollkommen leer is der Raum und auch alle Geschichten scheinen ihn verlassen zu haben. Sam stellt sich seinen Großvater vor, wie er mit der kleinen Inyana am Fenster steht, sie vielleicht auf Zehenspitzen. Jetzt steht er selbst mit seiner Mutter dort, teilt die Erinnerung mit ihr.

„Sehe ich ihm ähnlich?", fragt er.

„Etwas schon", antwortet sie. „Wenn du mich ansiehst … dieser Ausdruck in deinen Augen … manchmal kommt es mir so vor, als blicke er durch dich hindurch. Du hast viel von ihm – er war so stark und unbeirrbar und das bist du auch."

Sie wendet sich vom Fenster ab.

„Lass uns noch ein bisschen weitergehen. Einfach so. Das tut mir gut. Hier auf dem Land hat sich kaum etwas verändert, es is mir alles noch vertraut."

Eine unbestimmte Sehnsucht begleitet Sam, während er seiner Mutter durch eine Landschaft folgt, die verspricht, dass wenigstens ihr Bild etwas Dauerhaftes hat, sich in Zukunft kaum verändern wird. Und etwas Dauerhaftes wünscht er sich, etwas worauf er sich verlassen kann. Auch ihm tut die Bewegung gut er lässt sich treiben, noch gefangen von all den Eindrücken de Tages, die ihn tief berühren.

Umso überraschter ist er, als er in der Ferne Phillippes kleine Herde plötzlich auf der Weide vor sich sieht und mittendrin seine eigene Kuh.

„Da ist die Weide ja, ich wusste es", ruft Mum und läuft los.

Wenig später stehen sie vor dem Gatter, beide atemlos, weil das letzte Stück in ein Wettrennen ausgeartet ist. Sam hat Mum

,ewinnen lassen. Es wird Zeit, dass die Geschichte neu geschrie-
en wird, findet er.

Ein Kälbchen nähert sich, hält sein Maul begierig an einen
reiten Spalt zwischen den Verstrebungen, Mum streckt ihre
Hand hindurch und das Kalb beginnt daran zu saugen.

Als ich in London angekommen war, stürzte ich mich sofort in
den Großstadttrubel. Ich brauchte eine Wohnung, Arbeit, musste
mich bei den Behörden melden. Zum Glück war ich nicht auf mich
allein gestellt. Es gab zum Beispiel Durga, die ich noch von einem
Sprachkurs kannte. Sie kam aus Indien, war zu meiner Au-pair-Zeit
in London, um Touristik zu studieren, und ist nach dem Studium ge-
lieben. Als ich '94 wiederkam, hatte sie schon eine Stelle im Hotel.
Bei ihr konnte ich in den ersten Wochen wohnen und sie verhalf
mir auch zu meinem Job. Während hierzulande der Wahnsinn tobte,
hatte ich nur eins im Sinn: mein Leben in Europa in den Griff zu
bekommen.

Ruanda wollte ich vergessen, machte einen radikalen Schnitt,
wie man es bei einer Wunde tut, die so vereitert ist, dass sie nicht
mehr heilen kann. Sogar die Berichterstattung in den Medien – viel
war es damals ohnehin noch nicht – mied ich in der ersten Zeit. Und
verriet so alle meine Lieben.

Als ich Anfang August zum ersten Mal versuchte, in Kigali an-
zurufen, weil ich hörte, dass die Massaker beendet seien, erreichte ich niemanden aus der Familie. Es machte mich verrückt, doch
ich verdrängte weiter, was ich eigentlich längst wissen musste. Ich
wählte alle Nummern, die in meinem Adressbuch standen – du
kannst mir glauben, es war eine lange Liste –, tippte mir die Finger
wund, aber auf der anderen Seite nahm nie jemand ab. Wie denn
auch – nicht nur ihre Nummern waren ausgelöscht.

Endlich erreichte ich Mama Munyemana, die Jean-Claude

(er war damals zwei) und sich selbst wie durch ein Wunder retten konnte. Von ihr erfuhr ich, dass meine Mutter, meine Schwestern und alle anderen, die zu uns gehörten, nicht mehr lebten. Sie wusste sogar ganz genau, wann und wo meine Mutter ihren Mördern in die Hände gefallen war, konnte mir Tag und Uhrzeit ihres Todes nennen. Ich nehme an, sie kennt auch weitere Einzelheiten. Darüber haben wir noch nicht gesprochen, aber irgendwann werden wir das tun.

Später habe ich stundenlang gegrübelt, um herauszufinden, wo ich war, als meine Mutter starb … wenn ich mich nicht täusche, war ich mit Burga auf dem Weg ins Kino.

Wann und wie meine Schwestern umgekommen sind, weiß ich nicht, ich weiß noch nicht einmal, ob sie wirklich in Gisozi sind.

…

Sam, ich muss mit dir darüber sprechen, über das, was mich am meisten quält. Du bist mein Sohn und ich wünsche dir so sehr, dass du ohne Last durch dein Leben gehen kannst!

Dass ich damals floh, war vielleicht mein gutes Recht, ich kämpfte um mein Leben, niemand kann mir das zum Vorwurf machen, aber … wie ich es tat, werde ich mir nicht verzeihen.

Es gibt ein Nie Mehr, weißt du, überall und zu jeder Zeit. Wenn man jung ist, kann man es vielleicht nicht sehen oder will es nicht auch wenn man es sogar bereits erfahren hat. Ich sah nur mich, nahm, was meine Mutter und meine beiden Schwestern all die Jahre für mich taten, einfach mit, als ob es selbstverständlich sei. Ohne je zu begreifen, was es sie gekostet hat. Sie schenkten mir einen Teil von sich selbst und bekamen nichts dafür zurück, nicht einmal ein Wort der Anerkennung und des Danks. Heute würde ich alles darum geben, wenn ich ihnen das zumindest sagen könnte – so aber bleibe ich in ihrer Schuld. Kann sein, dass sie darüber lächeln würden, denn sie liebten mich, wie ich war … doch mir tut es furchtbar weh, wenn ich nur daran denke.

Manchmal hast du wirklich keine Wahl. Wenn alles so verstrickt ist, dass du dich nicht mehr bewegen kannst, musst du dich daraus befreien, auch wenn du andere damit verletzt. Im Kleinen aber, im Alltäglichen, hast du immer eine Möglichkeit, dich zu entscheiden, und dann kommt es darauf an, dass du erkennst, was wirklich wichtig ist. Dass du bereit bist, Liebe zu erwidern, wo sie dir begegnet. Und zwar jeden Augenblick, denn der Augenblick ist das Einzige, was dir niemand nehmen kann! Wenn du ihn achtlos verstreichen lässt, verpasst du dein eigentliches Leben.

Mir hilft es jetzt ein wenig, dass ich Mama Munyemana unterstütze und auch Jean-Claude, der eine Kindheit hatte, die ihm beinah alles schuldig blieb, was ein Kind für seine Zukunft braucht. Es mag übertrieben klingen, aber es ist meine Art der Buße.

Dir habe ich in anderer Weise nicht gegeben, was du brauchtest, ja, Sam, ich bin mir dessen sehr bewusst. Du hast mir mehr gegeben als ich dir und es ist mir nicht mehr möglich, das Versäumte nachzuholen. Ich habe nur die Möglichkeit zu einem Neuanfang. Dazu bin ich bereit, von ganzem Herzen, und ich fühle, wie du mir entgegenkommst. Dass du so geworden bist, wie du bist, und mich trotz allem liebst, ist ein Geschenk, das ich in Zukunft besser hüten werde!

Enna, liebe,
halt dich fest, du ahnst ja nicht, wen du vor dir hast!
Seit heute bin ich nämlich stolzer Kuhbesitzer und – das musst du dir mal reinziehen! – ein Mann mit Zukunft, oder wie es so schön heißt, eine lohnende Partie. Zwar habe ich noch keine Ahnung, wie ich dieses hübsche Tier im Flugzeug transportieren soll, doch was kümmern einen solche Bagatellen ... Muh!! Was zählt, ist doch der Wert an sich, oder etwa nicht? Womit ich sagen will: Wäre ich nicht schon dein Favorit (und das bin ich, Enna, gib es endlich zu!), könntest du einem Kuhbesitzer garantiert nicht widerstehen. (?!)

Übrigens heißt sie Mushiki, das bedeutet Schwester. Sie ist kupferbraun wie ihr Besitzer, hat ein samtweiches Maul wie er und denselben treuen Blick. Und stinkt nach Kuh. Ihr Besitzer nicht, wie du hoffentlich noch weißt!

Ach Enna, heute war ein Tag zum Lachen und zum Weinen. Entschuldige meine Blödelei, ich möchte gerade nur das Lachen mit dir teilen.

…

Ich kann nicht schlafen, Enna, dabei geht es langsam schon auf den Morgen zu.

Wir sind erst sehr spät von der Tour aufs Land zurückgekommen. Die Rückreise war ziemlich anstrengend. Nachts sind hier auf der Landstraße noch unglaublich viele Leute unterwegs, in totaler Finsternis, ohne Licht! Ich habe mich jedes Mal erschreckt, wenn unsere Scheinwerfer sie erfassten, und mich gefragt, wie sie sich orientieren können.

Ich war so kaputt, dass ich, gleich nachdem ich dir geschrieben habe, ins Bett gegangen bin. Doch kaum lag ich auf der Matratze, war an Schlaf nicht mehr zu denken. Kennst du das? Du bist rappelvoll mit Gedanken, die in deinem Kopf rotieren, und findest keinen Knopf, um sie auszuschalten. Vielleicht hilft es ja, wenn ich dir noch erzähle, was an diesem Tag zum Weinen war … ein bisschen wenigstens davon, nicht alles. Es in Worten auszudrücken fällt mir nämlich schwer.

Ich glaube, der Besuch bei Phillippe und Sophie hat meine Mutter sehr bewegt. Mit der Herzlichkeit, ja, Liebe, die ihr dort entgegengebracht wurde, hat sie sicher nicht gerechnet. Es war auch wirklich ungewöhnlich, finde ich. Sie kannte schließlich niemanden und wurde trotzdem wie ein verlorenes Mitglied der Familie aufgenommen und gefeiert.

Nach dem Essen sind wir losgegangen, nur sie und ich. Dahin, wo Mum als Kind mit ihrem Vater unterwegs war. Und mit ihrem

Kuh. Es ist eine wunderschöne Landschaft, in der man sich verlieren kann, wenn man nicht jeden Baum oder Strauch und den Verlauf der Wege kennt. Dass Mum sich da im Alter von drei Jahren schon zurechtgefunden hat, ist unglaublich! Ich konnte sie und ihren Vater fast vor mir sehen.

Am Ende unseres Weges, Enna, kam dann eine Beichte. Mum musste sich etwas von der Seele reden, etwas, das sie, glaube ich, am meisten quält. Ich erzähle dir später mal davon, wenn wir uns wieder gegenübersitzen, am Strand spazieren gehen oder in der Koje liegen, irgendwann jedenfalls, wenn ich dich berühren kann …

Es wird Zeit, dass wir uns wiedersehen, du und ich! Ab jetzt zähle ich die Tage, Stunden und Minuten. Ich geh ins Bett zurück und fange schon mal an. Das wird mir vielleicht helfen einzuschlafen.

PS.: Wenn ich wiederkomme, möchte ich, dass die Geheimnistuerei ein Ende hat, hörst du, Enna? Es ist mir so was von egal, was die anderen denken oder sagen, jeder soll ruhig wissen, dass du und ich zusammen sind.

Das sind wir doch noch, Enna, oder?

NEUN

Und wisst ihr was?! Die Gorillas haben alle Namen. Jedes Neugeborene wird in einer öffentlichen Zeremonie getauft, die sogar im Fernsehen übertragen wird", sagt Dad. Seit einer halben Stunde erzählt er begeistert von seiner Trekkingtour zu den Berggorillas, die ihn offensichtlich tief beeindruckt hat.

Wieder sitzen sie in einem Restaurant, dieses Mal zu viert. Mum hat das Restaurant vorgeschlagen, wo sie schon mit Sam gewesen ist. Eine Art Abschiedsessen soll es sein und Sam ist froh, dass Jean-Claude dabei ist. Sie sitzen in einer überdachten Nische, gerade hat es aufgehört zu regnen und die Luft ist angenehm frisch.

Mit großen Ohren haben alle Dads Schilderungen von seinem Trip in den Regenwald gelauscht. Stundenlang ist er, geführt von einem Ranger, mit einer kleinen Gruppe unterwegs gewesen. Durch das undurchdringliche Dickicht, ohne vorgegebene Pfade, zuerst nur Bambus, so weit das Auge reichte, später Lianen, die ihnen rundherum die Sicht versperrten. Der Himmel über ihnen die einzige Öffnung nach draußen.

Er habe fast Platzangst bekommen, erzählt Dad, doch es habe sich gelohnt! Bis auf wenige Meter Entfernung hätten sie sich einer Familie von ungefähr zwanzig Gorillas nähern können, junge Tiere und Weibchen mit ihren Babys, die sich um einen Silberrücken, den Anführer, scharten. Und die Gorillakinder seien neugierig auf sie zugekommen, so nah, dass man sie hätte berühren können.

„Es ist wirklich unglaublich, wie viele menschliche Verhaltensweisen diese Tiere zeigen", sagt Dad. „Und dabei wirken sie ungeheuer friedlich, vollkommen eins mit sich und der Natur, in der sie leben. Wenn man ihnen lange zuschaut, kommt man selbst zur Ruhe, wird angesteckt von diesem Frieden. Und sie kennen ja auch keine politischen Grenzen, wandern arglos über die Grenzen hinaus in den Mondbergen hin und her und geraten so in Kampfgebiete, was manche von ihnen schon das Leben gekostet hat."

Als wollte er das Schwerwiegende seiner letzten Worte wieder aufheben, wendet sich Dad mit einem Lächeln an Sam. „Ich habe sie übrigens von Klaus gegrüßt."

Sam und Mum lachen los und Mum verdreht die Augen.

„Erinnerst du dich noch an deine Affensprüche, Sam? Zum Wahnsinn hast du mich damit getrieben!"

Jean-Claude blickt zwischen ihnen hin und her, hebt die Augenbrauen. Er versteht natürlich nicht, worum es geht. Aber Sam hat im Augenblick keine Lust, es ihm zu erklären.

„Du musst das Affenland unbedingt kennenlernen", sagt Dad. „Wenn wir das nächste Mal in Ruanda sind, machen wir diese Tour zusammen. Abgemacht?"

Sam atmet tief durch. Sein Vater hat *wir* gesagt. Also sieht er auch für sich ein nächstes Mal. Das ist gut zu wissen.

Mum scheint es registriert zu haben.

„Luk", setzt sie an, „… neulich hast du mich gefragt, was du für mich tun kannst, und meine Antwort hat dich, glaube ich, ziemlich vor den Kopf gestoßen. Das war nicht meine Absicht, bitte glaub mir das, und es tut mir leid. Es ist nur so … ich möchte nicht mehr, dass andere für mich sorgen und ich es einfach nehme, als ob ich einen Anspruch darauf hätte. Viel zu lange war das so und jetzt will ich unbedingt auf eigenen Füßen stehen. Ich kann demnächst an einer internationalen Schule Englisch unterrichten. Sie zahlen gut. Und auch übersetzen werde ich wahrscheinlich wieder und … ach, es gibt ein ganze Menge Möglichkeiten …" Sie unterbricht sich, wirft Dad einen Blick zu, als wollte sie sich vergewissern, dass sie ihn nicht kränkt. „Trotzdem ist da etwas, was du tun kannst, und obwohl es nicht für mich ist, würde es mir viel bedeuten", fährt sie fort, nachdem sie festgestellt hat, dass er ihr in aller Ruhe zuhört. „Mama Munyemanas Haus ist in Gefahr, falls es nicht schon bald saniert wird. Es steht in einem Viertel, das begehrt ist, viele Häuser dort sind bereits modernisiert. Ein Haus wie Mama Munyemanas stört das Stadtbild – so jedenfalls sieht es die Regierung – und den Menschen, die in solchen Häusern wohnen, droht die Zwangsumsiedlung, falls es ihnen innerhalb festgesetzter Fristen nicht gelingt, sich dem Standard anzupassen. Sie müssen weichen, ob sie wollen oder nicht. Auch deshalb wohne ich noch bei Mama Munyemana. Damit man es nicht wagt, sie aus dem Haus zu vertreiben, wo sie ihr Leben lang gewohnt hat und in dessen Hof ihr Sohn begraben war! Es kann ja wohl nicht sein, dass eine alte Frau, die '94 ihren Mann und alle Söhne verloren hat, nun auch noch ihr Haus verlieren soll!"

„Auf keinen Fall!", sagt Dad. „Was kann ich tun?"

„Eine Mauer um das Haus, davor ein Tor und im Haus vielleicht auch Strom … Fürs Erste würde das genügen. Mama Munyemana wird sich ohnehin an alles Neue schwer gewöhnen können. Im Vergleich zu den Preisen in Europa würde es auch nicht viel kosten. Musa könnte sich um die Baumaßnahmen kümmern. Er ist vertrauenswürdig und hat schon viele Häuser instand gesetzt."

„Gut, er soll zusammenstellen, was er braucht, und ich überweise dir das Geld."

Sam registriert, wie froh es seinen Vater macht, endlich etwas tun zu können, und ist stolz auf ihn. Zum ersten Mal, seit sie hier sind, spürt er, wie sich die Spannung zwischen seinen Eltern löst. Er fühlt sich davon angesteckt.

„Ach ja, Dad", sagt er und grinst seinen Vater an, „wenn du gerade schon in Geberlaune bist … was hältst du denn davon, Jean-Claude demnächst ein Ticket nach Europa zu spendieren?"

„Mal sehen, was sich machen lässt", erwidert Dad mit einem Schmunzeln. Und dabei bleibt es erst einmal, weil in diesem Augenblick das Essen endlich auf den Tisch kommt.

Ziegenfleisch am Spieß für alle.

Ich zermürbe mir den Kopf, liebe Enna. Bin voller Zweifel, ob es richtig ist, im Augenblick darüber nachzudenken, die Trennung der Familie meinerseits komplett zu machen und meinen eigenen Weg zu gehen. Manchmal träume ich davon.

Dad hat mir mitgeteilt, dass er gleich nach Peters Rückkehr wieder nach Hamburg ziehen will, und natürlich geht er davon aus, dass ich mit ihm kommen werde. Aus seiner Sicht gibt es nämlich keinen Grund mehr, noch auf Sylt zu bleiben. Klar, für ihn trifft das zu, doch für mich? Ich hätte schon noch einen Grund zu bleiben, findest du nicht auch? Außerdem: Mir vorzustellen, mit Dad in Hamburg einen Männerhaushalt fortzusetzen und jeden Tag mit anzusehen, wie er leidet … nein, das wäre überhaupt nicht gut für mich. Wahrscheinlich könnte er selbst auch eher neu beginnen, wenn er sich nicht um mich kümmern müsste. Zum Beispiel die Tage, als er ohne uns bei den Berggorillas war, haben ihm wirklich viel gebracht! Seitdem wirkt er wie befreit.

Also, Enna, wenn ich ohne Dad auf Sylt bleiben würde, wäre es auch deinetwegen, das weißt du sicher, oder?

Doch was ist mit dir?

Ich war dir, weil ich dir die ganze Zeit geschrieben habe, immer nah, vielleicht sogar besonders nah, gerade weil ich dich nur in Gedanken vor mir sehen, dich umarmen, dir mein Herz ausschütten konnte. Ohne diese Möglichkeit hätte ich das alles gar nicht ausgehalten.

Jetzt aber, kurz vor unserem Wiedersehen, merke ich, es reicht nicht mehr, dir zu schreiben, ohne zu erfahren, wie du darauf re-

agierst. Du wirst alles ja erst später lesen, hast noch keine Ahnung, was in dem Notizbuch steht ...

Also noch einmal: Was ist mit dir?

Enna, auf der Stelle will ich von dir hören, dass du mich so vermisst wie ich dich ... Bis gleich, ich bin schon schrecklich aufgeregt!

DEPARTURE

Hallo, hier ist Sam. Ist Enna da?"

„Ach Sam, du bist es! Enna ist gerade bei den Ziegen. Kannst du dich in einer halben Stunde noch mal melden?"

„Nein, bitte jetzt! Es ist sehr wichtig."

„Na gut, ich hole sie, aber es kann etwas dauern."

…

„Sam?! Wo bist du? Bist du wieder da?"

„Nein, ich bin noch hier, ich meine, in Kigali … Enna … Du, ich weiß überhaupt nicht, was ich machen soll!"

„Was ist los? Ist was passiert?"

„Meine Eltern trennen sich und Mum bleibt in Afrika."

„Oh. Das tut mir leid."

„Und mein Vater will zurück nach Hamburg, wenn Peter wieder da ist. Also diesen Sommer schon."

„Ach so … nach Hamburg … sicher freust du dich …"

„Ja … nein! Ich weiß nicht. Ich bin ganz konfus, weil ich absolut nicht darauf vorbereitet war. Klar, mein Vater braucht mich jetzt, für ihn ist es besonders schlimm, aber … ich muss schließlich auch damit fertigwerden. Mit der Trennung und mit allem anderen. Ich weiß einfach nicht mehr, was ich will. Ich glaub, ich möchte lieber auf der Insel bleiben und … bei dir. In Hamburg wäre sowieso nichts mehr wie früher. Was denkst du? Ich könnte vielleicht Peter fragen, ob er mich eine Zeit lang bei sich wohnen lässt. Dann würden wenigstens du und ich noch zusammenbleiben."

…

„Enna?"

„Hmm, ja, das wäre schön."

„Aber was, wenn deine Mutter sich plötzlich wieder mal ‚verändern' will?"

„Das passiert auf keinen Fall."

„Bist du sicher?"

„Ja! Und falls doch, dieses Mal garantiert ohne mich. Übrigens hört sie gerade mit. Mama, sperr mal beide Ohren auf: Ich zieh nicht mehr mit dir um! Sam, du bist mein Zeuge."

„Ist es meinetwegen?"

„Willst du's ehrlich wissen?"

„Ja."

„So kurz vorm Abschluss wieder mal die Schule wechseln? Nie im Leben! Ganz egal, wie beknackt hier ein paar Leute sind. Und überhaupt …"

„Klar, ich dachte nur …"

„… natürlich auch deinetwegen."

…

„Sam, bist du noch da?"

„Ja."

„Ich vermisse dich."

„Ich dich auch. Und wie!"

*

„Sam, wo steckst du? Warum gehst du nicht an dein Handy?"

„Ich war im Pool."

„Ach so. Du, ich will kurz in die Stadt, hast du Lust mitzukommen?"

„Ich weiß nicht … ja, vielleicht, aber … Dad?"

„Ja?"

„Ich würde gern mit dir über etwas reden."

„Gut, dann komm ich raus zu dir."

„Nein, nicht hier. Irgendwo, wo wir uns in Ruhe unterhalten können."

„Wie wär's denn, wenn wir uns in der Hotelbar treffen?"

„Okay, ich zieh mich an und bin in zehn Minuten da."

…

„Schieß los! Was hast du auf dem Herzen?"

„Dad, was würdest du dazu sagen, wenn ich nicht mit dir zurück nach Hamburg wollte?"

„…?"

„Jedenfalls erst mal nicht. Nicht, bevor ich mit der Schule fertig bin."

„Aber, Sam … ich dachte immer, dass du nichts lieber möchtest als zurück!"

„Klar, im letzten Sommer war das auch noch so, aber jetzt … inzwischen ist zu viel passiert."

„Was soll ich dazu sagen, das kommt ziemlich plötzlich … ich verstehe nicht …"

„Mein ganzes Leben hat sich auf den Kopf gestellt."

„Meins doch auch. Deshalb sollten wir so schnell wie möglich zurück in unser altes Leben. In Hamburg habe ich meine Arbeit und du deine Freunde."

„Dad, ich kann das nicht! Ich meine: einfach so zurück in unser altes Leben. Ja, du hast deine Arbeit und wirst sowieso kaum zu Hause sein. Wie soll ich dir das bloß erklären? Die letzten Wochen … Monate … waren heftig, weißt du! Sorry, aber ich muss erst mal wissen, was ich will und … wer ich bin."

„Und das willst du lieber ohne mich?"

„Doch nicht ohne dich! Und natürlich auch nicht ohne Mum. Mit ein bisschen Abstand nur, das würde es, glaube ich, leichter für mich machen. Außerdem könnten wir uns an den Wochenenden regelmäßig sehen, wenn du nicht gerade Dienst in der Klinik schieben musst."

„Und wie stellst du dir das vor? Du bist doch auf ein Leben ohne uns noch gar nicht vorbereitet."

„Aber irgendwann, sogar in absehbarer Zeit, steht das sowieso an, oder? Vielleicht wäre Peter ja bereit, mich eine Zeit lang bei sich aufzunehmen."

„Ich weiß nicht, Sam, das geht mir alles viel zu schnell. Wir haben ja noch ein paar Monate, um die Sache zu entscheiden. Aber wenn du willst, ruf ich Peter bei Gelegenheit mal an und frag ihn, was er davon hält."

„Nein danke, Dad ... ich glaube, das bespreche ich lieber selbst mit ihm."

*

„Mum, ich möchte nicht, dass du mit zum Flughafen fährst!"

„Ja, natürlich, ich verstehe ... Dann müssen wir wohl jetzt ..."

„Ja, müssen wir. Glaubst du, dass du irgendwann noch mal nach Deutschland kommst?"

„Bestimmt ... ja sicher ... ganz bestimmt! Ich kann dir nur nicht sagen, wann. Vielleicht nächstes Jahr im April. Es ist besser, im April nicht hier zu sein. Oder vielleicht übernächsten Sommer. Und dann schwimmen wir im Meer."

„Ach, Mum."

„Sam, ich möchte, dass du weißt, wie sehr ich dich vermissen werde. Nie sollst du denken, dass ich mich gegen dich entschieden habe."

„Ja."

„Hier werde ich gebraucht ... vor allem brauche ich mich selbst. Und ... Ach, ich habe alles, was ich dazu sagen kann, längst gesagt, auch wenn es sicher nicht genug ist."

„Mum, ich habe schon verstanden! Lass uns einfach nichts mehr sagen. – Aber hier ... den möchte ich dir geben! Ich habe ihn am Strand gefunden, da, wo du mal versucht hast, mir und Dad das Spiel mit den Steinen beizubringen. Beim Hünengrab, weißt du noch? Ennas Mutter sagt, wenn du deinen Herzstein hast, fängt etwas Neues an."

„Ach, Sam, das ist … Danke, lass dich drücken! So … Ja, so. Wenn du Ennas Mutter siehst, sag ihr, dass sie mir geholfen hat. Keine Ahnung, wie, aber ja, es war ein Anfang … Ziemlich strange ist sie, findest du nicht auch? Grüße sie von mir. Und auch deine Enna. Ich bin froh, dass sie deine Freundin ist."

„Und ich erst! Ohne sie … Mum, ich glaub, ich gehe jetzt, okay?"

Sie nickt.

„Also dann … murabeho, Mama."

„Auf Wiedersehen, Sam."

*

„Enna?! Gut, dass du sofort drangegangen bist!"

„Wo bist du denn gerade?"

„In ein paar Minuten steigen wir in den Flieger und morgen Früh landen wir in Brüssel. Wie lange wir danach noch brauchen, weiß ich nicht genau, ich hoffe aber, dass wir nachmittags zu Hause sind. Enna?"

„Ja?"

„Ich kann es kaum erwarten und bevor es losgeht, wollte ich unbedingt noch deine Stimme hören."

NACHWORT

In den letzten zwanzig Jahren fanden Kinder aus aller Welt, vorwiegend Kriegswaisen aus Afrika, in unserer Familie ein neues Zuhause. Zu ihnen gehören sechs Flüchtlinge aus Ruanda, deren traumatische Lebensgeschichten meinen Mann und mich bis heute beschäftigt und begleitet haben.

Vor zwei Jahren, als mein erster Ruanda-Roman (*Über tausend Hügel wandere ich mit dir*) auch in England erschien und Random House London zu einer Lesung daraus eingeladen hatte, begegnete ich auf dieser Veranstaltung einer Frau, die den Völkermord überlebt hatte und nach England ausgewandert war. Ihr dreizehnjähriger Sohn hatte sie nach der Lektüre des Buches dazu gedrängt, es selbst zu lesen, mit der Begründung, dass die Handlung auch ein Teil seiner Geschichte sei, über die er endlich mit ihr reden wolle. In bewegenden Worten erzählte die Frau, wie sie einer Aufforderung fast gegen ihren Willen gefolgt und danach zum ersten Mal in der Lage gewesen sei, mit ihrem Sohn über die Geschehnisse zu sprechen. Wie viel ihr das bedeutet habe.

Dieses Erlebnis brachte mich dazu, mich aus einem anderen Blickwinkel als bisher mit den Auswirkungen des Traumas zu befassen. Wie, habe ich mich gefragt, sieht das Leben der Nachgeborenen der Überlebenden aus? Welche Auswirkungen hat es auf sie, was ihren Müttern oder Vätern widerfahren ist? Und wie gehen Letztere mit ihren Erfahrungen gegenüber ihren Kindern um? Ist es überhaupt möglich, sich dem Trauma gemeinsam zu nähern?

Ohne eine Aufarbeitung wird das, was unter der Decke schlummert bzw. hinter einer Schweigemauer verborgen bleibt,

von Generation zu Generation übertragen, findet, meist unbe
wusst, seinen Niederschlag in vielfältigen Zusammenhängen
prägt möglicherweise die inneren Strukturen einer Gesellschaf
und greift in die Psyche von Individuen ein.

Diesem Thema widmet sich mein Roman *Herzsteine*, zwar an
Beispiel Ruandas, dessen Geschichte mir aus familiären Gründe
besonders naheliegt, darüber hinaus jedoch auch beispielhaft fü
andere vergleichbare Vorkommnisse in der Welt.

Insofern habe ich mich auf die Familiengeschichte be
schränkt, habe weitgehend darauf verzichtet, detaillierte Anga
ben zu historischen oder realpolitischen Fakten zu machen, di
selbstverständlich zugrunde liegen, aber um die es hier nicht geht
Lediglich die Schilderung Kigalis stellt vergleichsweise genau ak
tuelle Entwicklungen dar – allerdings betrachtet aus der subjek
tiven Sicht eines Nachgeborenen, der in Europa aufgewachsen is
und mit der Geschichte des Landes sowie dessen Gegenwart zun
ersten Mal konfrontiert wird.

Im Oktober vorigen Jahres reiste ich mit einem unserer von
Genozid betroffenen Söhne für einige Zeit nach Kigali, wo wi
uns zusammen den Geschehnissen stellten, die ihm seine Fami
lie geraubt haben. Wir besuchten u. a. die Genozid-Gedenkstätt
Gisozi, wo sein Vater vor nicht langer Zeit in eines der Massengrä
ber umgebettet wurde.

Während meines gesamten Aufenthalts in Ruanda hatt
ich Gelegenheit zu vielen bewegenden Begegnungen mit junge
Menschen, die mir zeigten, wie groß der Wunsch ist, ein offe
nes Ohr für die jeweils eigene Geschichte zu finden, und wie seh
das Land noch ganz am Anfang einer Traumabewältigung steht
Meine eigenen Beobachtungen, Erfahrungen und Empfindunge
vor Ort habe ich aufgezeichnet, um sie in meinen Roman *Herz
steine* einzuarbeiten.

Wer sich einen Überblick über die Geschichte Ruandas verschaffen möchte, kann sich anhand der nachfolgenden Zeitleiste informieren.

Felizitas' Geschichte spielt zwischen August 1970 und März 2011.

Hanna Jansen

Der sechszeilige Text auf Seite 151 wurde einer Gedenktafel im Gisozi Genocide Memorial Centre entnommen.

Ich danke meinem Sohn Niklas, der mein Romanprojekt von Anfang an mit wertvollen Anregungen kritisch begleitet und mich immer wieder ermutigt hat weiterzuschreiben, meinem Sohn Jano, mit dem ich nach Ruanda gereist bin und der seine Erinnerungen mit mir teilte, Petra Deistler-Kaufmann, die sich auch in unserem zweiten gemeinsamen Projekt als die Lektorin erwies, von der ich schon immer träumte, Gudrun Honke für ihre sachkundigen Hinweise, basierend auf ihrem langjährigen Leben in Ruanda – und nicht zuletzt danke ich Reinhold für ein wunderbares Zusammenleben, in dem ich schreiben kann.

Mein Dank gilt auch dem Land NRW, das meine Arbeit am Buch durch das Autorenstipendium 2009 unterstützte.

ZEITTAFEL

1898

Das Königreich Ruanda wird Teil Deutsch-Ostafrikas.

1919

Im Versailler Vertrag wird Belgien das Völkerbundmandat über Ruanda übertragen (1946 als Treuhandgebiet der UN). Wie schon die deutsche, räumt auch die belgische Kolonialmacht den Tutsi eine bevorzugte Stellung ein.

1957

Im Manifest der Bahutu fordern Hutupolitiker die Gleichstellung aller Bevölkerungsgruppen.

1959

Tutsi und Hutu gründen Parteien. Im Kampf um die politische Macht nach der Unabhängigkeit kommt es zu Massakern gegen Tutsi und Terrorakten der Tutsipartei gegen Hutu. Infolge dieser von belgischen Militärs niedergeschlagenen sogenannten Novemberrevolution, die 20 000 Tote fordert, fliehen 153 000 Tutsi nach Burundi, Uganda, Tansania und Zaire.

1961/62

Abschaffung der Tutsimonarchie. Nach Parlamentswahlen, die der Hutupartei die Mehrheit bringen, und der Wahl von Grégoire Kayibanda, Hutu, zum Präsidenten der Republik erlangt Ruanda seine Unabhängigkeit wieder.

1963–1966

Die Armee der Exiltutsi dringt mehrmals ins Landesinnere vor. Nach erneuten Massakern an den Tutsi fliehen über 300 000 Tutsi in die Nachbarländer.

1973

Tausende Tutsi werden inhaftiert, getötet oder aus der Heimat vertrieben. Militärputsch des Generals Juvénal Habyarimana, Hutu, der Präsident und Regierungschef wird.

1987

Exiltutsi, die in der Rebellenarmee Yoweri Musevenis gekämpft haben, gründen nach dessen Machtübernahme in Uganda die Ruandische Patriotische Front (RPF).

1990

Die RPF greift von Uganda aus Ruanda an; damit beginnt der Krieg, der mit dem Genozid enden wird.

1994

April

Am 6. April wird das Flugzeug mit Präsident Habyarimana über Kigali abgeschossen. Die Tutsi werden beschuldigt, das Attentat verübt zu haben. Die Präsidentengarde, die Milizen sowie Teile der Streitkräfte ermorden nach vorbereiteten Todeslisten die Ministerpräsidentin und ihre zehn Blauhelmsoldaten, Oppositionspolitiker, Tutsi sowie Hutu, die nicht mit den extremen Hutu sympathisieren. Im ganzen Land beginnt der Völkermord an den Tutsi.

Juli

Am 4. Juli befreit die RPF Kigali. Der Genozid ist vorbei (800 000 bis eine Million Tote in knapp vier Monaten).
Über eine Million Hutu, unter ihnen zahlreiche Völkermörder, fliehen aus Furcht vor Repressalien in Auffanglager im Nachbarland Zaire (heute Kongo).
Am 19. Juli übernimmt die RPF die politische Macht in Ruanda. Pasteur Bizimungu wird Präsident.

1996

Über zwei Millionen Hutuflüchtlinge kehren aus dem Ostkongo zurück. Die dort verbliebenen Hutumilizen sind Hauptakteure im Kongokrieg, der bis heute mehrere Millionen Opfer gefordert hat.

1998
Vor dem Internationalen Strafgerichtshof für Ruanda in Arusha
(Tansania) beginnt der erste Völkermordprozess. Seitdem wurden
32 Angeklagte rechtskräftig verurteilt.

2000
Paul Kagame (RPF) wird Präsident.

2005
Lokale Gacaca- „Gras"- Gerichte werden mit der juristischen Auf-
arbeitung des Völkermords betraut. Bislang wurden 1,2 Millionen
Fälle verhandelt.

2008
Bei den Parlamentswahlen wird eine Frauenquote von 56 % erreicht, Rose Mukantabana zur ersten Parlamentspräsidentin Ruandas gewählt.

2010
Paul Kagame gewinnt erneut die Präsidentschaftswahlen.
An allen Schulen und Universitäten erfolgt der Unterricht in Eng-
lisch statt in Französisch.

© privat

Hanna Jansen

Hanna Jansen ist Autorin mit Engagement und Leidenschaft. Vierzehn Kinder aus aller Welt, überwiegend aus Afrika, fanden bei ihr und ihrem Mann ein neues Zuhause. Sie interessiert vor allem die Frage, wie Menschen ganz unterschiedlicher Herkunft und Kulturen miteinander leben und einander bereichern können. Nachdem der Großteil ihrer Kinder in eigene Zusammenhänge aufgebrochen ist, begann für Hanna Jansen und ihren Mann ein neuer Lebensabschnitt. Mit ihrem Jüngsten zogen sie in ein kleines Dorf in der Vulkaneifel, wo sie ihr Traumhaus fanden und nun mit Pferd, Hund und Katz den Füchsen gute Nacht sagen.

Hanna Jansens Roman »Über tausend Hügel wandere ich mit dir« wurde u. a. mit dem Buxtehuder Bullen und in den USA mit der Goldmedaille des »Independent Publisher Book Award« ausgezeichnet.

Tom Avery
Der Schatten meines Bruders

Aus dem Englischen von Wieland Freund und Andrea Wandel
Roman, 143 Seiten (ab 12), Gulliver TB 74584
LUCHS des Monats (Die Zeit/Radio Bremen)
Ebenfalls als E-Book erhältlich (74472)

Kaias Bruder ist tot. Und auf einen Schlag hat
sich alles für sie verändert. Nur einer dringt
noch zu Kaia durch: der wilde, stumme Junge,
der neu an der Schule ist. Wo kommt er her?
Existiert er nur in ihrer Vorstellung? Zögernd
lässt Kaia sich auf ihn ein und fasst auch wieder
Vertrauen zu ihren Freundinnen, die sie davon
überzeugen, dass echte Freundschaften tiefe
Krisen überwinden.

Inge Auerbacher
Ich bin ein Stern

Mit Fotos und einer Zeittafel
Aus dem Amerikanischen von Mirjam Pressler
112 Seiten (ab 11), Gulliver TB 78949
Auswahlliste zum Deutschen Jugendliteraturpreis

Inge Auerbacher ist sieben, als sie 1942 mit
ihren Eltern in das KZ Theresienstadt deportiert
wird. Sie erzählt aus der Sicht des Kindes von
ihren Freunden und ihrer jüdischen Familie.
Von der schrecklichen Zeit im Lager, von der
Verzweiflung und der ständigen Angst. Aber
immer noch gibt es Spiele, die das Überleben
erträglicher machen.

GULLIVER   www.beltz.de
Beltz & Gelberg, Postfach 10 01 54, 69441 Weinheim

rence Blacker

oy2Girl

s dem Englischen von Heike Brandt
nan, 288 Seiten (ab 12), Gulliver TB 78973

ir Matt ist es vorbei mit dem ruhigen Leben
London. Seine Eltern nehmen seinen Cousin
m aus Amerika bei sich auf. Sam ist 13, wie
att, aber ungepflegt und dreist. Matt und
ne Freunde denken sich eine Mutprobe für
m aus: Er soll sich in der ersten Schulwoche
Mädchen verkleiden – »Boy to Girl«. Doch
m nimmt die Herausforderung an und
ngt Matt und die anderen ganz schön ins
switzen …

a Bloom

, Elias

an, 144 Seiten (ab 14), Gulliver TB 74209

es Tages steht sie vor ihm: Zoe. Die Eine, die
hre. Elias ist verliebt, entrückt und völlig
cheinander. Und Zoe lässt seine Träume in
üllung gehen. Die Welt steht still, wenn sie
sehen. Doch Elias macht einen
scheidenden Fehler … Denn so ist sein
en: Witzig, chaotisch, spannend und
achmal auch richtig tragisch.

LIVER   www.beltz.de
Beltz & Gelberg, Postfach 10 01 54, 69441 Weinheim

Kristina Dunker
Anna Eisblume

Roman, 112 Seiten (ab 13), Gulliver TB 78869
Ebenfalls als E-Book erhältlich (74270)

Anna Eisblume ist cool. Deshalb bewundern sie
ihre Mitschüler – und meiden sie gleichzeitig.
»Anna ist eine arrogante Lügnerin«, sagt
Valerie. Anna rächt sich grausam und
manövriert sich so noch weiter ins Aus. Aber
egal, schließlich ist sie auf Freunde nicht
angewiesen. Erst als eine Gruppe Neonazis
anfängt, sie und ihren Vater zu belästigen, zeigt
sich, dass Anna längst nicht so cool ist, wie sie
tut …

Kristina Dunker
Schmerzverliebt

Roman, 216 Seiten (ab 12), Gulliver TB 78676
Ebenfalls als E-Book erhältlich (74271)

Pias Leben scheint perfekt. Doch sie hat ein
quälendes Geheimnis: Wenn sie unglücklich ist,
verletzt sie sich mit einer Rasierklinge selbst,
um den seelischen Schmerz über den Körper
loszuwerden. Pia ist verzweifelt, allein findet
sie keinen Ausweg aus dieser Sucht. Doch da ist
Sebastian … Ein Roman über die Liebe und den
schmerzhaften Weg zu sich selbst.

GULLIVER www.beltz.de
Beltz & Gelberg, Postfach 10 01 54, 69441 Weinheim

Frank
bin Amerika

em Amerikanischen von Heike Brandt
n, 256 Seiten (ab 14), Gulliver TB 74028
alls als E-Book erhältlich (74028)

r sein Vater ist, das weiß er nicht. Und mit
en 15 Jahren hat AMERIKA schon viel erlebt –
zu viel. Auf dem Weg in ein neues Leben
hlt er von einer cracksüchtigen Mutter,
en brutalen Brüdern, von Mr Browning,
AMERIKA erst rettet und ihn dann quält.
h auch von der wunderbaren Liza erzählt
Jnd von Freunden, denen AMERIKA mehr
eutet als er sich selbst.

Schami
Hand voller Sterne

n, 256 Seiten (ab 14), Gulliver TB 78701
ahlliste zum Deutschen Jugendliteraturpreis
alls als E-Book erhältlich (74786)

r mehrere Jahre hinweg führt ein Bäcker-
ge in Damaskus ein Tagebuch. Es gibt viel
önes, Poetisches und Lustiges zu berichten
der Stadt, in der Menschen so vieler
ionalitäten leben. Aber es gibt auch Armut,
gerechtigkeit, politische Verfolgung und
gst in der Stadt. Den einzigen Weg, die
ge zu verändern und sich selbst treu zu
ben, sieht er in dem Beruf des Journalisten
Untergrund.

 www.beltz.de

Beltz & Gelberg, Postfach 10 01 54, 69441 Weinheim

Jugendbücher von Hanna Jansen

Zeit der Krabben

Nach dem High School Abschluss kommt Cynthia
zurück auf ihre Insel in der Karibik – ein kleines
Paradies! Doch dann muss sie erkennen, dass ihr
vertraute Menschen in das verheerende Drogengeschäft
auf der Insel verstrickt sind.

192 S., Klappenbroschur, ab 14
€ 16,90 – ISBN 978-3-7795-0477-1

Über tausend Hügel wandere ich mit dir

Hanna Jansens mehrfach ausgezeichnetes Buch
erzählt die Geschichte der 8-jährigen Jeanne, die
während des Völkermordes in Ruanda vor den
Mördern ihrer Familie flieht.

304 S., geb., ab 14
€ 19,90 – ISBN 978-3-7795-0517-4

PETER HAMMER VERLAG